OS PIONEIROS DO JUDÔ NO BRASIL

CHIAKI ISHII

OS PIONEIROS DO JUDÔ NO BRASIL

Publisher
Henrique José Branco Brazão Farinha
Diretor comercial
Eduardo Viegas Meirelles Villela
Editora
Cláudia Elissa Rondelli Ramos
Tradução
Uichiro Umakakeba
Linda Naomi Fukumori Umakakeba
Maria Yamauchi
Lilian Yuriko Watanabe
Preparação de texto
Gabriele Fernandes
Revisão técnica
Rodrigo Motta
Rioiti Uchida
Revisão
Bruna Alencar
Renata da Silva Xavier
Projeto gráfico de miolo e editoração
Daniele Gama
Capa
Listo Estúdio
Foto de capa
Paulo Pinto/Budôpress
Impressão
Gráfica Assahi

Copyright © 2016 by Chiaki Ishii
Todos os direitos reservados à Editora Évora.
Rua Sergipe, 401 – Cj. 1.310 – Consolação
São Paulo – SP – CEP 01243-906
Telefone: (11) 3562-7814/3562-7815
Site: http://www.editoraevora.com.br
E-mail: contato@editoraevora.com.br

DADOS INTERNACIONAIS PARA CATALOGAÇÃO NA PUBLICAÇÃO (CIP)

I77p

Ishii, Chiaki
  Os pioneiros do judô no Brasil / Chiaki Ishii ; tradução: Uichiro Umakakeba ... [et al.]. - São Paulo : Évora, 2015.
  240 p. ; 16 x 23 cm.

  ISBN 978-85-8461-047-1

  1. Judô – Brasil - História. 2. Lutadores marciais – Brasil. I. Umakakeba, Uichiro. II. Título.

CDD- 796.8152

JOSÉ CARLOS DOS SANTOS MACEDO – BIBLIOTECÁRIO – CRB7 N. 3575

Prefácio

Chiaki Ishii é um vencedor no sentido mais amplo da palavra. Sua vitória não está apenas no fato de ser um medalhista olímpico, Ishii venceu também na vida. Veio de uma terra distante, do Japão, ainda jovem, com pouquíssimos recursos, e construiu uma família, uma história no judô, um nome reverenciado na história. Talvez ele seja o principal dentre todos os pioneiros destacados neste livro. É um judoca respeitado no mundo todo, uma grande referência do judô brasileiro. Foi o primeiro medalhista mundial e também o primeiro medalhista olímpico do Brasil.

Um atleta extremamente técnico, o professor Ishii também ajudou a criar a segunda grande referência do judô nacional: Walter Carmona. E sua técnica chegou aos dois campeões olímpicos brasileiros, Aurélio Miguel e eu. Treinei muito com ele em São Paulo, no Centro Olímpico de Treinamento e Pesquisa, da prefeitura. Esses treinamentos foram responsáveis por um salto na minha carreira, alcancei grande evolução técnica graças aos ensinamentos do professor Ishii. Ele é um divisor de águas na história do nosso judô.

Felizmente, sua história continua. Sua filha Tânia Ishii, que disputou os Jogos Olímpicos de Barcelona (1992), foi a judoca mais técnica da história do judô brasileiro. Sua outra filha, Vânia, também foi atleta olímpica e referência no judô brasileiro. Atualmente, sua neta Sophia Swain, filha de Tânia, representa os Estados Unidos em campeonatos das categorias de base, tendo, inclusive, já conquistado um título Pan-Americano.

A força de um esporte não está apenas no número de medalhas conquistadas em competições internacionais. A história de vida, as lágrimas, as lutas diárias e as barreiras derrubadas por cada um dos desbravadores que abriram caminho para as grandes conquistas do presente também são de extrema importância.

Os pioneiros do judô no Brasil é leitura obrigatória para todos os amantes do judô, praticantes ou não. Um documento valioso sobre a trajetória dos grandes nomes que influenciaram os rumos da modalidade no nosso país.

Ao ler cada página desse livro, podemos "ouvir mentalmente" a voz do professor Ishii compartilhando generosamente conosco suas vivências no esporte. São relatos de grande valor histórico, jornalístico e emocional. Uma inspiração para que outros campeões nos tatames e na vida, como ele, registrem suas histórias e deixem mais esse legado para as gerações futuras.

ROGÉRIO SAMPAIO

Campeão olímpico de judô
na categoria meio-leve nos
Jogos Olímpicos
de Barcelona (1992)

Apresentação

Ao receber a solicitação do medalhista olímpico Chiaki Ishii para escrever uma mensagem sobre seu livro *Os pioneiros do judô no Brasil*, senti-me surpreso ("Por que eu?"), honrado ("Entre tantos outros..."), orgulhoso ("Caramba, ele levou-me em consideração!"). O pedido chegou até mim através do Alessandro Puglia, Presidente da Federação Paulista de Judô.

Passadas algumas semanas, a agenda da Confederação Brasileira de Judô (CBJ) não me dava folga para um momento de concentração para escrever o que havia me comprometido.

Foi quando no dia 05 de agosto, no Rio de Janeiro, durante a cerimônia "Um ano para os Jogos Olímpicos Rio 2016", encontrei alguns dos maiores nomes do judô brasileiro e medalhistas olímpicos: Carlos Honorato, Ketleyn Quadros, Leandro Guilheiro e Luis Onmura. O Onmura, ao me encontrar, comentou: "O Ishii tá aqui e quer falar com você". Na hora pensei: "Agora não dá mais para enrolar!" Saí à procura dele e, adiantando a conversa, fui logo dizendo: "Sensei, não esqueci não, no máximo segunda-feira eu enviarei meu comentário". Pronto, agora não tem jeito, ou escrevo ou escrevo. Fiquei imaginando se algumas décadas atrás, no *dojo*, quando me pedisse alguma coisa, se eu o enrolaria. Provavelmente levaria uns bons *osotogari* e *taiotoshi*!

Bem, no dia seguinte, a bordo de um voo de duas horas do Rio de Janeiro para Cuiabá, onde, a convite do Fernando Moimaz, Presidente da Federação Matogrossense de Judô, assistiria o Campeonato Brasileiro Sub 15, pus mãos à obra e comecei a ler o livro e não parei, até a aterrisagem. Faltavam umas cinco páginas para a conclusão da leitura. Eu sou daqueles que, quando gosta do livro, lê em uma tacada só. E assim foi.

Então me senti preparado para escrever alguma coisa sobre o que li, o que fiz alguns dias depois em outra viagem, retornando de Maceió para o Rio de Janeiro, em um voo de duas horas e meia. Parece que descobri o local ideal para desenvolver a concentração e produzir o texto: as nuvens!

Concluindo, senhores, senhoras, judocas de todo o Brasil e do além-mar, este livro, *Os pioneiros do judô no Brasil*, tem boas histórias, informações inéditas, inclusive sobre o próprio autor, que conta que a sua motivação para vir ao Brasil foi... Bem, isso vocês só descobrirão ao lerem o livro.

Por último, deixo a sugestão para que os judocas, em especial, tenham essa obra como leitura obrigatória, tamanha sua riqueza histórica. Acrescente-se a sua leveza na leitura, a simplicidade da narração e os sentimentos explicitados. Além do que é de uma credibilidade imensurável, pois foi escrito por quem vivenciou a história, ajudou a construí-la e, principalmente, é um dos seus principais protagonistas.

PAULO WANDERLEY TEIXEIRA
Presidente da Confederação
Brasileira de Judô

Sumário

ಅನ್	Introdução	1
ಅನ್	**Mitsuyo Maeda (Conde Koma)**	3
	O judoca que era pequeno	3
	Judoca nascido em Hirosaki	4
	O homem que foi chamado de Conde Koma	7
	O mundo da luta marcial	8
ಅನ್	**Tatsuo Okochi**	11
	O criador do judô Jigoro Kano	11
	Judô e o senhor Tatsuo Okochi	12
	Ida para a América do Norte e depois para o Brasil	13
	O encontro com o senhor Okochi e as Olimpíadas de Tóquio	16
	Paixão pela prosperidade do judô brasileiro	17
ಅನ್	**Ryuzo Ogawa**	21
	Fundador da Academia de Artes Marciais Ogawa	21
	Budokan que se espalhou para todo o Brasil	25
	Promoção de faixas e a administração da academia	28
	A Budokan através de três gerações	30
ಅನ್	**Yasuichi Ono**	33
	Fundador da Academia de Judô Ono	33
	Luta com Hélio Gracie	36
	A diferença entre jiu-jitsu e judô	37
	A Academia Ono se expandiu em todo território brasileiro	39
ಅನ್	**Katsutoshi Naito**	43
	Brasil, um grande salto para o exterior	47
	O encontro com o senhor Miyasawa e os motivos para escrever este livro	51
	Carta do senhor Masayuki Miyasawa	51

Sobei Tani e Seisetsu Fukaya — 57
Sobei Tani — 58
Seisetsu Fukaya — 60
Judô, antes e agora — 63

Yoshio Kihara — 67
Introduz a origem do judô, o *kata* — 67
Da Manchúria para o Brasil — 69

Augusto Cordeiro — 75
Primeiro presidente da Confederação
Brasileira de Judô — 75
Criador do judô carioca — 76
Para Munique — 80

Hikari Kurachi — 83

Judô, saquê, pesca e canto — 87
Simpatizantes do sumô da colônia paulista — 88
Em busca da medalha após se naturalizar — 91

Sob a bandeira do professor Kurachi — 93

Massao Shinohara — 99
Judoca nascido na Alta Sorocabana — 99
Medalhista formado na Academia Vila Sônia — 102

Shuhei Okano — 107
Reencontro em São Paulo — 111
Ensinando o rigor através da força dos argumentos — 114
Usiminas – Usinas Siderúrgicas de Minas Gerais — 120
O apoio empresarial — 122
Recordando Mitsugui Iwafune, o "último samurai" — 129

Uichiro Umakakeba — 133

Judocas que ficaram na memória — 153

Histórias dos medalhistas de ouro do Brasil		163
Aurélio Miguel		163
O motivo da derrota do Japão		177
Da revista mensal *Século*		182
Notícia da inauguração do centro de treinamento Ishii		182
Dez pessoas que ofereceram ajuda		184
A necessidade de união entre os atletas e o técnico		185
Rogério Sampaio		187
Pós-escrito		196
Michael (Mike) Swain		196
Avante, minhas filhas! (*gambarê, musumetatiyo*)		213
Artigos em jornais nipo-brasileiros		215
Avante, minhas filhas!		217

Introdução

Na manhã de 28 de setembro de 2013, fui despertado por um telefonema repentino. O meu amigo Hiromi Tani fora hospitalizado por causa de um acidente de trânsito. No dia 2 de outubro, tornou-se uma pessoa sem regresso, sem recobrar a consciência.

Por que aconteceu isso com o senhor Tani? Era uma amizade que durava cinquenta anos, desde o Grupo de Estudos e Investigações da Imigração Japonesa, da Universidade de Waseda.

Pensei: "Pode ser um aviso de Deus. Não serei jovem para sempre. Não sei quando serei chamado por Ele. Para não deixar arrependimentos, devo publicar aquele livro". Esse continha matérias que estavam sendo publicadas aos domingos no jornal *Nippaku Mainichi Shimbun* desde maio de 1997, em São Paulo, com o título de "Pioneiros do judô no Brasil", fotos que angariei visitando as famílias de pioneiros de judô do Brasil e inúmeros outros materiais, como depoimentos de familiares e o meu ponto de vista sobre a história.

Para publicar, precisava de recursos. Estava apenas distribuindo cópias para as pessoas do meu convívio. E um dia, quando pudesse vender as minhas terras e tivesse dinheiro, o publicaria em continuação ao livro *Três gerações de faixas pretas, experiência na América do Sul, vitórias nas Américas*. Seria a compilação de 50 anos de minha vida no Brasil.

Se acontecer algo comigo e eu deixar interminado o "Pioneiros do judô no Brasil", não terei desculpas para apresentar àqueles que fizeram a história do judô e para os colegas judocas. Pensei em publicá-lo de alguma maneira e, quando consultei o *sempai*[1] da Universidade Waseda, recebi palavras de incentivo dele e da Associação de Formandos de lá, o que resultou em doações que o presidente da Yakult S/A Indústria e Comércio, Ichiro Amano, e o secretário da Associação dos Formandos da Universidade Waseda do Brasil fizeram para a publicação.

Para mim, foi realmente uma chuva de misericórdia em meio a uma seca. Está mencionado no livro avulso *Três gerações de faixas pretas* – uma junção do diário de meus treinamentos na América do Sul e do diário da primeira visita do casal Yukichi ao Brasil – que meu pai, na ocasião da publicação, recebeu auxílio do senhor Soma, da Yakult.

Além deles, agradeço ao Uichiro Umakakeba de Bastos, ao presidente da empresa Tobu, senhor Morihiro Shiroma, aos meus alunos Rioiti Uchida e Rodrigo Guimarães Motta, aos dirigentes do judô brasileiro Alessandro Puglia e Paulo Wanderley e ao campeão olímpico Rogério Sampaio.

Sei que não significará nada publicar agora um livro na língua japonesa[2], mas na ocasião da minha visita ao Japão, no ano passado, fui à sala de arquivos da Kodokan e perguntei se havia algo escrito relativo ao judô do Brasil. Assustei-me, visto que o funcionário me apresentou meus escritos enviados até então para o *Nippaku Mainichi Shimbun* e o *São Paulo–Shimbun*, e meus artigos publicados na revista *Judô*. Era simplesmente um ajuntamento de meus textos, sem fotografias.

Resolvi publicar esta obra para que os colegas de judô do Japão e os meus *sempais* vejam a história do judô no Brasil e o caminho andado durante os cinquenta anos de minha vida neste país.

Agradeço profundamente a todos aqueles que colaboraram para que este livro fosse publicado.

Chiaki Ishii

---

[1] No judô é aquele que tem uma graduação superior de quem fala. Na faculdade, diz-se dos veteranos. (N.R.T.)

[2] O autor achava que não valia a pena lançar um livro em japonês no Brasil na época, pois o número de leitores japoneses que moravam no país era muito pequeno. (N.R.T.)

MITSUYO MAEDA (CONDE KOMA)

O judoca que era pequeno

Para escrever sobre a história do judô brasileiro, deve-se mencionar inicialmente essa pessoa.

Entre os judocas, aqueles que possuíam apelidos eram os que se destacavam dos outros: Shiro Saigo, o mais famoso, que se tornou o modelo de Sanshiro Sugata, era o Yama Arashi; Sakujiro Yokoyama, o do *taiotoshi*, que foi chamado de "Yokoyama, o Demônio"; Kyuzo Mifune, o do *kuki nague*, que foi chamado de "Especialista"; o Masahiko Kimura, o Invencível, sobre quem falavam: "Nenhum Kimura antes do Kimura e nenhum Kimura depois do Kimura"; e Isao Okano, apelidado "o Sanshiro da era Showa".

Não sabemos a razão, mas a maioria desses apelidados são de pequena estatura. Desde os tempos passados, grande parte das pessoas que foram chamadas de excepcionais, ou geniais, eram baixas e faziam de brinquedo grandes lutadores que possuíam quase o dobro de seu tamanho.

Num combate, ninguém elogia aquele maior que vence o menor. Neste ponto, quando o menor vence o maior com um surpreendente *seoi-nague* ou um *okuri-ashi-barai*, a plateia aplaude com entusiasmo.

Quando o Sumiyuki Kotani, 10º grau, chamado "o Excepcional da era Showa", veio ao Brasil, explanou desta forma diante de nós: "A competição de hoje é por categoria de peso, e isso está inibindo o progresso da técnica do judô. Para aquele que realmente dominou a técnica, a diferença de peso não significa nada. Mas, para tal, ele deve polir a técnica, esforçando-se o dobro ou o triplo do que outras pessoas. Deve--se praticar o básico, o fundamento, o *ukemi* firme e o *uchi-komi* correto. Aquele que é excelente no *ukemi* é rápido no progresso; quanto mais se cai, melhor lutador se torna".

Judoca nascido em Hirosaki

Acabei desviando do objetivo de escrever sobre o Mitsuyo Maeda. Ele, que expandiu a fama de excelente lutador e de eficiência do judô no mundo todo, com o apelido de Conde Koma, nasceu em 18 de dezembro, no 11º ano da era Meiji (1878), no município de Hirosaki, na província de Aomori.

Aos 17 anos incompletos, no 27° ano da era Meiji[1] (1894), foi para Tóquio, e da escola de primeiro grau Inada, ingressou na Escola de Tóquio (atual Universidade Waseda). Dizem que era pequeno de estatura, tinha apenas 1,64 metro e pesava 64 quilos. Em 1897 (30° ano da era Meiji), foi aceito o seu ingresso na Kodokan, e em janeiro do 32° ano da mesma era, conquistou o *shodan*. Em outubro, o segundo grau; em janeiro do 34° ano da mesma era, o 3° grau; e no 37° ano, o quarto grau. Na época, um faixa marrrom, abaixo de *shodan*, era considerado como da classe especial da Kodokan e poderia ser um professor na região.

Eu também, aos 18 anos, vindo de Ashikaga da província de Tochigi, ingressei no judô da Universidade de Waseda, e vi a placa escurecida com o nome de Mitsuyo Maeda ocupando o primeiro lugar à direita, no topo da academia de judô do antigo ginásio de esportes, cuja entrada ficava em uma ruela do cruzamento de Tokkaityome.

---

[1] A era Meiji ocorreu de 08/09/1868 a 30/07/1912. Neste período, o monarca Mutsuhito assumiu o trono, foi decretado o final do feudalismo japonês e iniciou-se uma era de veloz modernização no Japão. Para saber mais, acesse: <http://www.infoescola.com/japao/era-meiji/>. (N.R.T.)

Na época, havia muitos famosos na Universidade de Waseda como Sotaro Ninomiya, Daisuke Sakai, Keishichi Ishiguro, Ikkan Miyagawa, Nobushiro Satake. Dentre estes, o Mitsuyo Maeda parece ter sido excepcionalmente forte. Kodokan, naquela época, localizava-se no bairro Koishigawa, no Shimotomisaka, de Tóquio. A era dos quatro áses do judô (Shiro Saigo, Sakujiro Yokoyama, Yoshitsugu Yamashita, Tsunegirô Tomita) findou; a época de fundamentação do judô da Kodokan havia passado e a luta estava no momento de se expandir. Nesse tempo, mais de dez mil pessoas já haviam ingressado na Kodokan e a expansão para os países além-mar estava em alta.

Em 1903 (36° ano da era Meiji), quando Kyuzo Mifune ingressou na Kodokan, Mitsuyo Maeda era o mais forte, e igualmente fortes eram Souta Todoroki, Sakuzo Uchida, Nobushiro Satake, todos de 3° grau. Os da época da fundação, como Sakujiro Yokoyama, Itsuro Munakata, Eisuke Oshima e Tsunejiro Tomita, não treinaram muito, envolvendo-se na direção da Kodokan como administradores. Mas Kyuzo Mifune "apanhou" muito de Mitsuyo Maeda.

O sucesso de Yoshitsugu Yamashita e da esposa nos Estados Unidos tornou-se um elemento de expansão da prática do judô, e no dia 16 de novembro do 37° ano da era Meiji, quando Mitsuyo Maeda tinha 25 anos, Yoshitsugu Yamashita recebeu um pedido dos Estados Unidos para enviar um professor.

Por indicação do mestre Kano, Yoshitsugu Yamashita foi para os Estados Unidos acompanhando do professor Tsunejiro Tomita, 6° dan. Os dois, começando pela Costa Oeste, introduziram e ensinaram o judô na Universidade de Princeton, na Universidade de Yale e na Universidade de Columbia com grande sucesso.

Por último, na Academia da Escola Militar de West Point, realizaram uma demonstração. Após a apresentação de *kata* e *randori*, resolveram travar uma disputa com o atleta de luta greco-romana da Escola Militar. Maeda pediu que Tomita o deixasse lutar, dizendo "Eu luto, deixe comigo", mas Tomita, receoso pela fama que Yoshitsugu Yamashita conquistou em Annapolis, decidiu ele mesmo lutar. O adversário era um homenzarrão de mais de 2 metros. Os dois se engalfinharam. De repente, o homenzarrão abraçou Tomita com braços que pareciam troncos de árvores e foi o apertando e, como na técnica chamada *sabaori* do sumô, debruçou sobre o corpo pequeno de Tomita. Mesmo depois de Tomita cair, o atleta continuou abraçando-o contra o seu peito e apertando-o como uma morsa. Tomita começou a perder a consciência. A coluna vertebral poderia se quebrar. Pensando que, se continuasse assim, poderia morrer, Tomita sinalizou sua desistência.

Maeda ficou irado a ponto de ficar vermelho, por Tomita não ter permitido que ele lutasse. Era a época em que se colocava a pátria em primeiro lugar. Os japoneses participantes do West Point foram considerados como a "vergonha do país" e, infelizmente, Tomita teve que deixar a América o quanto antes.

Quando vim para o Brasil e viajei à América do Sul, em 1964, para treinamento, também tive várias experiências e, sobretudo, sou um dos que vivenciaram na pele que o judoca não é um mágico.

Certa vez, quando o judô da Universidade Waseda era próspero, uma equipe da faculdade foi para os Estados Unidos para promoção. O capitão era Keishichi Ishiguro e um dos membros da equipe era Ichiro Hatta. Os cinco integrantes da excursão lutaram em vários locais da Costa Oeste. Na época, não havia judô nas universidades dos Estados Unidos, e por isso lutaram contra os atletas de luta greco-romana.

Inicialmente, ao lutar com eles vestindo o *judogui*, a vitória ficava do lado da Waseda, mas sendo desafiados a lutar despidos, no estilo da luta greco-romana, os lutadores da Waseda foram completamente vencidos. A característica do judô é vestir o *judogui* e, sobre ele, amarrar a faixa. Esta é amarrada simplesmente com um nó duplo na frente, por isso, é facilmente desamarrada. Toda a técnica do judô foi elaborada para utilizar a frouxidão do *judogui* e da faixa.

Pega-se o *judogui* e usa-se o pulso e o cotovelo, rapidamente desequilibra-se o adversário e lança-o. No *ne-waza* também se estrangula, ou se aplica a chave de braço, utilizando a gola do *judogui*. Sem roupa, ao suar, o judoca escorrega e não consegue executar o intento. Por isso, quando um judoca ingressa na luta livre ou no sumô, ele não é bem-sucedido.

Quando se luta com um adversário maior, nunca se deve deixar o próprio corpo próximo ao do adversário. É preciso se movimentar sempre antes do oponente, jogá-lo e cansá-lo. No final, há somente o estrangulamento ou *kansetsu-waza* para vencê-lo. Se pegarem como no sumô, leva-se desvantagem, pois não há arena como no sumô[2]. E nunca se deve ficar debaixo do adversário. Não existe estrangulamento na luta livre, nem no boxe, por exemplo. Se estrangular por trás ou pegar o braço com *gyaku-juji*, o adversário se rende.

Se for *ne-waza*, enquanto não ficar embaixo, não há o que chamamos de diferença de peso. Ao contrário, o adversário que é maior gasta mais energia e cansa mais rápido. Por isso, se realmente for lutar com o intento de vida ou morte, penso que o judô e o jujútsu são apropriados para o combate. No vale tudo, se o judoca, no começo, for vigilante e não levar um golpe de karatê ou boxe, e puxar para o *ne-waza*, penso que dá para vencer, sem dúvida. Os atletas de karatê ou de boxe talvez pensem que podem nocautear os atletas de judô ou de luta livre apenas com um golpe. Penso que o mais forte seria aquele que é mais inteligente e melhor precavido.

No período em que conquistei a medalha de bronze nas Olimpíadas de Munique, também acreditava que eu era o terceiro lutador mais forte do mundo. Não pensava em ser vencido por seja lá quem fosse à luta. O atleta é forte, porque está constantemente treinando como um louco, judiando do seu próprio corpo. Se negligenciar este treinamento árduo, mesmo que um pouco, deixa de ser atleta.

O homem que foi chamado de Conde Koma

Mitsuyo Maeda ficou inconformado com a derrota de Tomita na América. Por isso, separou-se de Tomita, ficou nos Estados Unidos e abriu uma academia de judô em Nova York. Mas, por causa da derrota na luta, poucos ingressaram na academia.

---

[2] Diferentemente do judô, no sumô luta-se dentro de uma arena e de forma "agarrada". Caso o oponente consiga derrubar o lutador fora da arena, ele vence a luta. (N.R.T.)

Para poder comer, Maeda precisou lutar, cobrou ingressos e travou lutas de apostas com lutadores de luta livre e boxe. Portanto, lutas valendo dinheiro. Maeda obteve vitórias em todas as lutas.

Depois, juntou-se a Nobushiro Satake, formado também pela Universidade de Waseda, que havia ido com a delegação de Hitachiyama, e realizou mais de mil lutas viajando pelo México, por Cuba e pela Europa, obtendo vitórias.

Especialmente na Espanha, foi centro das atenções e respeitado, e recebeu o título de Conde Koma. Maeda, deixando a Europa, dirigiu-se para Cuba, México e Peru, lutando e vencendo. Em 1915 (4° ano da era Taisho), chegou em Belém, na foz do rio Amazonas, no Brasil. Isso aconteceu quatorze anos antes do início da imigração japonesa no Amazonas.

Parece que Maeda simpatizou com a característica desta terra onde não se faz distinção de elementos humanos, passou a ensinar judô para militares e policiais da cidade de Belém e, abrindo a própria academia, ensinou judô para muitos brasileiros.

Embora fosse para divulgar o judô, parece que Maeda omitiu que havia lutado por dinheiro no vale tudo, e ensinou a luta sem dizer que era judô, e sim jujútsu.

O mundo da luta marcial

Conforme os próprios escritos de Maeda, parece que ele criou condições para lutar com outras artes marciais. Colocava-se o *judogui* no adversário e lutava-se até um se render. E com exceção de golpear os testículos e os olhos, o resto valia tudo.

Os adversários de luta livre ou outros desafiantes viam a pequena estatura de Maeda, aceitavam as condições, e entravam na luta. Dizem que eram jogados ridiculamente com *nague-waza*, e, por fim, eram rendidos com a chave de braço.

O golpe preferido de Maeda era imobilizar ambas as mangas do *judogui* do oponente e aplicar os golpes parecidos com *sode tsurikomi goshi* ou *taiotoshi*. Algumas vezes, deixava-se ser jogado e assim imitava a luta livre, estimulando a plateia, e no final estrangulava o desafiante e o "ressuscitava" através de *katsu*. Em vários locais, Maeda foi muito bem recebido, elevando a reputação do judô.

Na luta, mesmo que você diga palavras nobres, se for vencido, não fará diferença. Existem registros de que os companheiros Nobushiro Satake e Akitaro Ono perderam, mas Maeda não. Compreendemos a importância dele quando o mestre Mifune disse que ele era "o número um da Kodokan", na época.

De qualquer maneira, Mitsuyo Maeda como judoca era, na época, o melhor do Japão em habilidades técnicas. Não seria por isso que venceu na vida, mesmo saindo do país? O conceito "eu era o mais forte da Kodokan; se eu perder, é como se a Kodokan perdesse" tornou-o digno de receber o título de invencível Conde Koma.

Ao mesmo tempo em que me formei na Universidade de Waseda, também carreguei uma faixa preta, embarquei no navio de imigrantes Americamaru e vim para o Brasil. Assim que imigrei, sem ter treinado nada, participei do Campeonato Brasileiro de Ju kendo, em julho deste mesmo ano (1964), indo apressadamente para São Paulo, saindo de um sítio de Presidente Prudente. O espírito era o mesmo.

"Sou um homem que foi titular da famosa Universidade de Waseda da capital. Não posso perder para o judô do interior do Brasil. Esperem só para ver", pensava. Assim, fui vencendo todos com *ippon* e saí vencedor.

No *São Paulo–Shimbun* do dia seguinte ao campeonato, escreveram em letras enormes: "Apareceu Sanshiro Sugata do Brasil" e isso me deu autoconfiança e me ajudou a decidir viver de judô.

Parece que o Mitsuyo Maeda também, enquanto seguia vencendo as lutas, foi se interessando, adquirindo autoconfiança e tornando-se cada vez mais forte. Quando se acostuma a lutar com estrangeiros de grande porte, descobre-se também os seus pontos fracos. A sua estatura é grande, mas são poucos os que verdadeiramente forjaram os seus corpos. A aparência é amedrontadora, mas esses oponentes são fracos para se livrarem do estrangulamento. Enquanto tentam isso, é possível jogá-los à vontade.

Nos Jogos Pan-Americanos, nunca perdi para um ocidental. Aqueles homenzarrões a quem eu e o Lhofei Shiozawa fazíamos de brinquedo, o campeão japonês amedrontado perdia. Isto porque não havia se familiarizado com os ocidentais.

Nesse ponto, parece que Mitsuyo Maeda foi um pioneiro no mundo do judô. Os discípulos que ele ensinou na cidade de Belém se tornaram áses, em todo o território brasileiro e ao redor do mundo, da arte marcial denominada jiu-jitsu.

Mitsuyo Maeda expandiu sua técnica para o norte do Brasil e deu origem aos campeões Carlos Gracie, Hélio Gracie e Pedro Hemetério; e, com o nome de Vale Tudo, Maeda desafiou o karatê, o boxe e a luta livre, vencendo tudo.

Aquele que foi cognominado Demônio do Judô, Masahiko Kimura, lutou contra Hélio Gracie no Rio de Janeiro. O discípulo de Kimura, Kozo Kato, 5° grau, foi estrangulado por Hélio na luta de revanche.

Os dois estavam motivados. Mesmo Kimura jogando o adversário várias vezes, ele se mantinha implacável, não se rendia nem com a chave de braço. Parece que Kimura pensou, "então quebrarei o braço dele", e quando ia quebrar, o auxiliar de Hélio jogou uma toalha, de maneira que o braço não foi quebrado. Hélio ficou indignado e pediu revanche, trazendo o seu discípulo Ademar Santana, um gigante negro. Porém, com receio de se machucar, ele recusou.

Hoje, os netos de Hélio, Rickson Gracie e Royce Gracie, fazem desafios de várias modalidades de combate em troca de dinheiro, tanto nas Américas como na Europa e no Japão. Estão famosos, vencendo todas as lutas através de *gyaku* ou estrangulamento, levando quase todas as lutas ao predileto *ne-waza*.

Talvez Mitsuyo Maeda vendo que o judô hoje se transformou em uma mera modalidade de esporte, esteja dando um sorriso amarelo onde quer que esteja.

O que Mitsuyo Maeda diria sobre as regras dos juízes atuais que valorizam mais as faltas cometidas do que a eficiência de uma técnica? Imagino seu sorriso sereno que às gargalhadas dizia: "A luta de homens dura até a desistência de um; eu nunca desisti...".

A vida de Conde Koma está escrita detalhadamente no livro *O sonho do leão: o lendário Mitsuyo Maeda*, do escritor realista Norio Koyama.

TATSUO OKOCHI

O criador do judô Jigoro Kano

Para nós judocas, o criador do judô, mestre Jigoro Kano, é mais que um deus.

Fundou a Kodokan, formou inúmeros judocas renomados, herdou o estilo da Kodokan de ensinar os internos e, surpreendendo os praticantes do estilo tradicional jiu-jitsu, elevou mundialmente o nome do judô da Kodokan. Consequentemente, tornou essa arte marcial uma modalidade oficial olímpica. Digam o que quiserem, mas esta contribuição se sobressai as demais.

Leio vários livros sobre o judô, mas não encontrei nenhum que falasse prioritariamente sobre o mestre Jigoro Kano.

O mestre Kano graduou-se pela Universidade Imperial de Tóquio, no início da era Meiji. Ele pertencia à elite da época. Poderia seguir qualquer área que quisesse, fosse ela política, governamental ou econômica, porém acreditou que a educação fosse a sua vocação inata e dedicou sua vida no Japão a essa área.

Ainda jovem, trabalhou como diretor durante dois anos na escola Gokoo (atual Universidade de Kumamoto), sete anos na Escola Imperial e por 26 anos serviu como diretor da Escola de Formação de Professores de Tóquio (atual Universidade de Tsukuba).

Enquanto isso, desenvolveu o judô da Kodokan que, mesmo sendo zombado como "judô de bacharéu[1]", fez surgir excelentes discípulos sob os seus ensinos, referidos como os quatro campeões da Kodokan. Se o mestre Kano fosse apenas um judoca, não teria reunido discípulos maravilhosos como aqueles.

O mestre era canhoto de nascença, e os canhotos são habilidosos. Mas o mestre treinou arduamente para ser destro e finalmente conseguiu tornar-se ambidestro, aplicando livre e igualmente golpes tanto da direita como da esquerda.

Eu, Ishii, já pratico o judô há mais de cinquenta anos, mas ainda não consigo aplicar golpes da esquerda. Falta-me exercitar. Para vencer uma luta, deve-se saber aplicar golpes variados. O ideal seria saber aplicar livremente os golpes da direita e da esquerda, de frente e de trás. Sempre imagino que o mestre deveria ser uma pessoa muito habilidosa e muito inteligente.

Judô e o senhor Tatsuo Okochi

Na história do judô brasileiro, vejo o senhor Tatsuo Okochi como sendo o Jigoro Kano do Brasil. Analisando o currículo do senhor Okochi, percebe-se que é uma pessoa com capacidades diversificadas, não é um simples judoca. Ele atuou admiravelmente como líder da colônia japonesa de São Paulo.

O senhor Okochi nasceu em Koishikawa, na área metropolitana de Tóquio, no dia 26 de março de 1892 (25° ano da era Meiji). Após concluir a escola de 2° grau de Tóquio, seguiu da escola preparatória para a Universidade de Hokkaido. Em 1916 (5° ano da era Taisho), formou-se pela mesma universidade. Gostava de judô, aos 13 anos, ingressou na academia Kano, iniciou os treinos genuínos de judô, e, enquanto era universitário da Universidade de Hokkaido, venceu seis atletas 2° dan na luta entre os grupos vermelho e branco da Kodokan, sendo no mesmo dia promovido para

---

[1] Era como chamavam as pessoas que sabiam muito bem o judô na teoria, mas muito pouco na prática. (N.R.T.)

3º dan. Dizem que, infalivelmente, nas férias de verão e de inverno, empenhava-se em treinos ferozes, como em brigas, na academia da Kodokan, com o considerado invencível da época, Tokusanbo 3º dan, o excepcional em *ne-waza*, Tsunetane Oda 3º dan e Shoozoo Nakano 3º dan", mestre em *hane-goshi* direita e esquerda.

A nosso ver, eles são os gigantes lendários. O Tokusanbo foi originário de Tokunoshima da província de Kagoshima, media cerca de 1,76 metro, e pesava aproximadamente 90 quilos. Para a época (era Taisho, ano 1916), era um judoca gigante e era o professor de judô de Waseda. É famosa a história de luta dele contra o exército naval brasileiro.

Certa vez, o exército da marinha, numa expedição ao oriente, desembarcou em Tóquio. Os quinze marinheiros desta força naval pediram para lutar. Tokusanbo, sozinho, venceu todos eles. Como não facilitou, uns cinco ou seis acabaram machucados. Isso exerceu uma influência negativa até na relação diplomática entre o Brasil e o Japão, e ele próprio afastou-se da Kodokan e se confinou em Kagoshima.

Por isso, não é necessário mencionar a eficiência do judô do senhor Okochi, que treinou com este pessoal arriscando a vida. E ainda treinou muito o *ne-waza* na Universidade de Hokkaido, a então chamada "meca do judô universitário". Era como fazer uma pessoa já forte se fortalecer ainda mais. É famosa a história de que, na luta contra a Escola de Ciências Contábeis de Otaru, ele venceu sozinho os quinze integrantes, desde o primeiro até o capitão.

Ida para a América do Norte e depois para o Brasil

Em março de 1917 (6º ano da era Taisho) o senhor Okochi foi para o laboratório do doutor Jokiti Takamine em Nova York e ocupou-se da pesquisa de diástase e de vitaminas. Na época, durante a sua estadia nos EUA, ensinou judô no Esporte Clube dessa cidade.

O doutor Takamine faleceu em 1922 (11º ano da era Taisho) e, em 1924, o senhor Okochi emigrou novamente, desta vez para o Brasil no navio inglês Southem Cross. Em 1926, fundou o Instituto de Pesquisas

Okochi (atual Laboratório Okochi Ltda) em São Paulo. Continuando as pesquisas sobre diástase e vitaminas, produziu todo tipo de produtos medicinais, mas o que o destacava era a produção de alvejantes.

O admirável no senhor Okochi é que ele não se limitou apenas em seus negócios, mas atuou como personagem central na comunidade japonesa paulista, contribuindo muito para a cultura, a educação física (judô e tênis), e para os projetos de serviços sociais. Depois da Segunda Guerra Mundial, fundou em São Paulo a Associacão de Colaboradores às Crianças Excepcionais, foi eleito como seu primeiro presidente e estabeleceu o orfanato Kodomo no Sono. Atuou na diretoria desde a época da fundação da Associaccão Cultural Nipo-Brasileira e da Associação de Amparo aos Imigrantes Japoneses, foi condecorado publicamente pelo ministro de Relações Exteriores, na ocasião da comemoração do cinquentenário da imigracão japonesa (1958), como personagem que se distinguiu pelos seus serviços e, em 1966, (41° ano da era Showa), recebeu uma medalha do governo japonês em reconhecimento pelo serviço prestado.

Atuou amplamente como judoca e, em 1933 (8° ano da era Showa), assumiu o cargo de diretor do departamento de judô, ao fundar a Liga Nacional de Judô e Kendo do Brasil. Em 1939 (14° ano da era Showa), colaborou imensamente na ocasião da visita da delegação de judô, enviada pelo Ministério da Educação, Cultura, Esportes e Tecnologia do Japão, contribuindo para o desenvolvimento do judô da Kodokan no Brasil. Os esportistas eram Sumiyuki Kotani, 6° grau e Tyugo Sato, 5° grau.

Vários judocas uniram-se ao redor do senhor Okochi e adquiriram um maravilhoso salão para a prática do judô. Este salão, anos depois, tornou-se a matriz da Associação dos Faixas Pretas de Kodokan. Alguns destes são Seisetsu Fukaya, Sobei Tani, Daishi Yoshima, Ryuzo Akao e Takeshi Kunii.

Essa Liga, desde 1933, ano de sua fundação, até 1940, por nove vezes realizou eventos marciais, mas, ao irromper a Guerra do Pacífico, foi dissolvida por ordens oficiais. Durante a guerra, o judô manteve-se inativo, porém, após a guerra, foi novamente reconhecido e, devido a um fervor por essa arte marcial, recomeçaram o judô e kendo no interior da cidade, onde havia grupos de japoneses.

Em 1953 (28° ano da era Showa), o senhor Okochi requisitou que a Kodokan do Japão enviasse uma delegação de judô ao Brasil. A delegação veio para o país no mesmo ano e era formada por Takagaki (chefe da delegação), 8° grau, o campeão japonês Yoshimatsu, 7° grau, e o terceiro colocado do *ranking* japonês, Yoshimi Ozawa, 6° grau. Eles fizeram demonstrações de judô no interior de São Paulo e também em todo o Brasil, o que gerou uma grande repercussão.

Em 1958 (33° ano da era Showa), através da liderança do senhor Okochi, foi fundada a Federação Paulista de Judô, e o judô brasileiro, que era desmembrado até então, se tornou um só. Lúcio Franco, da Academia Ono, foi escolhido como o primeiro presidente e o senhor Okochi assumiu a direção do departamento técnico.

Neste ano, na ocasião da comemoração do cinquentenário da imigração japonesa, novamente o senhor Okochi convidou Sumiyuki Kotani, 9° grau, e o campeão universitário Kazuo Shinohara, 4° grau, do Japão, e realizou o Campeonato Internacional Amistoso de Judô entre três países (Brasil, Japão e Argentina), no Ginásio Estadual Geraldo José de Almeida (o ginásio do Parque do Ibirapuera em São Paulo).

Desta maneira, o senhor Okochi dedicou-se ao desenvolvimento do judô brasileiro, sendo um intermediário entre o judô do Brasil e do Japão. O senhor Okochi não liderava o judô diretamente, vestindo o *judogui*, mas a sua aparência de um samurai da época feudal se assemelhava muito com a do mestre Kano.

A escala de conhecimento de um ser humano que praticou somente o judô é pequena. Talvez porque persistiu somente em ganhar ou perder: "No passado, eu o venci numa competição" ou "Nunca fui vencido por ele numa competição". Principalmente, a relação entre o *sempai* e o *kohai* se eterniza para a vida toda[2], só porque foram do mesmo depar-

---

[2] Na relação entre duas pessoas, um *sempai* é uma pessoa superior (por conhecer mais, ter feito algo há mais tempo) a um *kohai* (inferior). Por mais que uma pessoa estude ou pratique, ela nunca se tornará *sempai* para aqueles que ela considera *sempai*. (N.R.T.)

tamento de judô e se formaram um ano antes na escola. Há ocasiões em que isso se torna uma virtude. Penso que haja pessoas que gostem disso. Porém, quando fizer parte de uma sociedade, é melhor esquecer todas essas misérias. Deve-se enfatizar o quanto esta pessoa se esforçou como um ser social para obter a posição que ocupa atualmente.

Vale a pena mencionar as atividades extensas do senhor Okochi na colônia paulista; foi o número um como empresário, socialista e judoca.

O encontro com o senhor Okochi e as Olimpíadas de Tóquio

Desde que imigrei, em maio de 1964, só pude encontrá-lo pessoalmente umas quatro ou cinco vezes. Ele sempre esteve distintamente vestido com terno e gravata, e penso que na época já passava dos seus 70 anos de idade.

Fui campeão pela primeira vez no Campeonato Brasileiro de Ju kendo, demonstrando minha excelente condição física. Logo depois, recebi um chamado repentino de senhor Okochi através de um telegrama. Naquele momento, eu trabalhava como agricultor em Presidente Prudente e apressadamente corri para São Paulo, pensando no que poderia ter acontecido.

Na época, ele residia na rua Pires da Mota, na Aclimação. Quando fui visitá-lo acompanhado pelo senhor Kunii, fomos recepcionados por um cavalheiro vestido com um terno branco.

Apresentei-me, dizendo:

– Sou Chiaki Ishii.

– Sim, sim! – Confirmou com o abaixar da cabeça, falando em voz baixa o propósito da visita. – Gostaria de pedir-lhe que ficasse em São Paulo durante um mês e fosse o técnico de Lhofei Shiozawa, que participará das Olimpíadas de Tóquio. Que tal, pode ser? Há quatro atletas que são candidatos às olimpíadas: Goro Saito, de Mogi das Cruzes, para peso-pesado, Massayoshi Kawakami e Jorge Medi, do Rio de Janeiro, para o absoluto, e Lhofei Shiozawa, para peso-médio. A condição para participar das competições é ser campeão mundial ou campeão pan-americano. Por enquanto, só Lhofei preenche os requisitos. E já temos o consentimento do presidente do Comitê Olímpico, o senhor Padilha, para a participação de Lhofei. Temos apenas um mês até a disputa. Gostaria que treinasse Lhofei e o tornasse um vencedor.

– Sim, com prazer! Farei o que estiver ao meu alcance para colaborar.

– Decidido! Lhofei está em suas mãos! Hospede-se no Hotel Niterói a partir desta noite. O treino será na Academia Kihara, em Dom Pedro, e na Academia Tani, no Jaraguá.

– Colocarei todos para treinarem com ele.

Mais tarde, ouvi do senhor Kunii que as despesas de minha estadia e do meu trabalho foram pagas do bolso do senhor Okochi. Naquela ocasião, tive o prazer de saborear duas ou três vezes a culinária japonesa.

O modo de conversar do senhor Okochi era manso e de maneira nenhuma parecia ser de um judoca. O senhor Kunii me disse que, no passado, senhor Okochi treinou no mesmo nível, na Kodokan, com os excepcionais Mifune e Tokusanbo.

Lhofei Shiozawa avançou até a chave final, vencendo três lutas na chave preliminar, na peso-médio, das Olimpíadas de Tóquio, mas, infelizmente, perdeu, sendo derrotado por Kim Eui Tae da Coréia do Sul por *awase-waza*[3].

Paixão pela prosperidade do judô brasileiro

Depois disso, de tempos em tempos, ainda recebia telegramas do senhor Okochi, comunicando-me para ir a uma academia ou outra a fim de orientar os alunos.

Andei visitando e orientando as academias do interior paulista, filiadas a Kodokan, como: Academia de Mário Suguisaki, de Avaré; Academia de Kosugue, de Rancharia; Academia Watanabe, de Osvaldo

---

[3] Pontos somados. (N.R.T.)

Cruz; Academia de Tosuke Sugui; de Bastos e a Academia Mori, de Araçatuba.

Na época, eu não tinha nenhuma renda financeira e a bondosa consideração do senhor Okochi foi muito gratificante.

Conheci muitas pessoas, de vários lugares, que ensinavam em academias antigas e comecei a entender vagamente a situação do Brasil. Estava verdadeiramente muito contente em poder praticar o quanto eu queria o judô, esporte que gosto mais do que todas as outras coisas. Em cada uma das academias sempre havia quatro ou cinco atletas jovens promissores me esperando, e tínhamos um bom treino.

Por causa do trabalho que o senhor Okochi me arranjou pela sua bondade, fiquei cada vez mais confiante no meu judô e, no final de 1964, fui para São Paulo procurar mais uma vez a residência do senhor Okochi.

Após os cumprimentos, falei-lhe sobre o meu desejo de treinar viajando pela América do Sul. O professor acenou afirmativamente com a cabeça e disse:

– Faça o máximo. Só é possível fazer isso enquanto é jovem.

– Tenho uma irmã morando em Lima, no Peru. Visite-a sem falta. Tenho um sobrinho também. Escreverei uma carta de apresentação.

Assim dizendo, escreveu prazerosamente a carta e me deu uma quantia generosa, como gesto de despedida. Foi a última vez que vi o professor.

Depois disso, saí para viajar vagando pela América do Sul e não voltei para o Brasil durante um ano e meio.

Soube que, na ocasião da realização do 5º Campeonato Mundial de Judô no Rio de Janeiro, o senhor Okochi intermediou a relação da Confederação Brasileira de Judô com a Kodokan. Para consolidar a realização duvidosa de um campeonato amistoso em São Paulo, usou todo o seu dinheiro (que havia poupado para a ocasião de sua visita ao Japão), convidou a delegação japonesa e outros atletas de cada país, e realizou um grande campeonato no Ginásio do Ibirapuera com a finalidade de manter a reputação do Brasil.

Depois que veio para o Brasil, ele não voltou nenhuma vez para o Japão e, logo depois do campeonato, faleceu repentinamente de câncer de laringe aos 70 anos.

Se o professor Okochi vivesse de forma saudável por mais 5 anos, a situação do judô do Brasil seria outra. Creio firmemente que o senhor Okochi foi uma pessoa digna de ser considerada o mestre Jigoro Kano do Brasil.

RYUZO OGAWA

Fundador da Academia de Artes Marciais Ogawa

$\mathcal{E}$screvi sobre o Mitsuyo Maeda, o Conde Koma e sobre o senhor Tatsuo Okochi, como pioneiros do judô do Brasil, mas agora devo escrever sobre o fundador da Academia de Artes Marciais Ogawa, o senhor Ryuzo Ogawa.

O senhor Ogawa nasceu em 1885 (18° ano da era Meiji), em Ishiki, na cidade de Taira, província de Fukushima, tendo como pai Matsukichi Ogawa e mãe Yuki. Desde a sua infância aprendeu jiu-jitsu, estilo Iga, com o professor Toyotaro Tokoro e, mais tarde, foi habilitado no estilo Kashima Shinyo pelo professor Kosuke Yamada, discípulo do estilo Tenjin Shinyo do mestre Jigoro Kano.

Em 1912 (45° ano da era Meiji), desde que começou a Academia de Artes Marciais Ogawa, em Tóquio, tornou-se famoso como praticante da antiga arte marcial, realizando várias demonstrações a convite da família imperial e de nobres.

Mas, como praticante de jiu-jitsu, não se sentiu motivado nas artes marciais e, em 1934, (9° ano da era Showa), imigrou para o Brasil através do navio de imigrantes Hawaimaru, junto com o seu irmão mais novo, e estabeleceu-se na colônia de Registro. Neste tempo, o senhor Ogawa tinha 51 anos. Durante dois anos viveu ensinando judô para os jovens da colônia de Registro. Em 1936, foi para São Paulo e tornou-se secretário do departamento de judô da Liga Brasileira de Ju Kendo. E em 1938 fundou a Academia de Artes Marciais Ogawa, no bairro da Liberdade.

Desde então, serviu ao desenvolvimento da colônia japonesa através do jiu-jitsu e do judô, até falecer aos 94 anos de idade.

Quando vim para o Brasil, eu era jovem, tinha meus 22 anos de idade. Por isso, vivia enfrentando pessoas sem medir esforços. Depois dos 50 anos, aos poucos, comecei a ter discernimento, e passei a entender sobre a vida social, isto é, sobre a arte da conduta. Não conhecia nada sobre as boas maneiras de se relacionar com o próximo. Antigamente, vivia satisfazendo as minhas próprias vontades, sem me preocupar com os sentimentos dos outros. Refletindo agora, fico embaraçado e não consigo nem erguer o meu rosto de vergonha.

O senhor Ogawa foi aquele que, como praticante de arte marcial, estabeleceu uma academia no Japão; tinha muita experiência e muito discernimento. Como praticante de jiu-jitsu era de elite, e possuía algo como encarnação do espírito japonês[1], desejado pela colônia.

Penso que até a véspera de irromper a Guerra do Pacífico o ju kendo era próspero na colônia. Na época, imperava o pensamento de que: "O Japão é um país dos deuses. Não perdeu nem uma vez. Derrotou os gigantes como a China e a Rússia. Não podemos jamais ser vencidos pelos Estados Unidos, um país formado por imigrantes de várias nacionalidades". Nesse meio apareceu o senhor Ogawa, trazendo o judô. A academia foi nomeada de Academia de Artes Marciais Ogawa de Jiu--jitsu do Estilo Kashima Shinyo.

A escola onde meu avô Seikichi Ishii estudou, a Tenjin shinyo, e a escola onde o senhor Ogawa aprendeu, a Kashima shinyo, são ramificações da mesma escola. Ambas têm como especialidade o *atemi-waza* e o *kansetsu-waza*. Quando se fala em jiu-jitsu, todos imaginam o ne-waza. Mas o "antigo jiu-jitsu" que se desenvolveu na época de Edo, entre aqueles da classe dos samurais, originou-se da luta com armadura numa batalha, mas, cada vez mais, foi se pensando em como enfrentar o

---

[1] O espírito japonês transmitia garra para a pessoa, não a deixava desistir jamais. (N.R.T.)

oponente sem portar armas. Dessa forma, foi naturalmente se desenvolvendo e enfatizando o ataque aos pontos cruciais como o *atemi-waza*, ou a redução do poder de combate do oponente, como o *kansetsu-waza*. O meu avô, Seikichi Ishii, sempre dizia ao meu pai Yukichi:

"Yukichi, briguei muito até hoje e, por várias vezes, coloquei em risco a minha vida. Quando se enfrenta muitas pessoas sozinho, não adianta ficar projetando os outros por várias vezes. Ou deixa-se inconsciente o outro, com *atemi-waza*, ou quebra-se o braço do outro com *gyaku*[2], se não o número de oponentes não diminui. Por isso, pratique bem o *atemi* e o *gyaku*. Do contrário, parecerá que sempre foi treinado com um só lutador, e não com vários."

Parece que a região Noroeste do Japão, nos fins da era Edo e início da era Meiji, era uma área perigosa. Assim como surgiram Isami Kondô e Toshizô Hijikata, do Grupo Novo, dentre os lavradores da região de Okutama, no interior das províncias do planalto e da planície, o *jukenjutsu* exercia autoridade. Por causa da rivalidade entre as escolas de estilos diferentes, havia invasão e destruição de academias. Se a academia perdesse, ficava-se com deficientes físicos, e se vencesse, era pega de surpresa em grandes brigas de revanches.

Parece que o meu avô também, quando jovem, andou invadindo muitas academias pra cá e pra lá, desafiando para brigas.

"Yukichi, não beba demasiadamente. Eu tive longevidade porque não bebi nem um pingo de bebida alcoólica. Experimente ficar bêbado e será incapaz de discernir a frente de atrás. Mesmo sendo um homem tremendamente forte, torna-se inútil." Meu pai dizia que meu avô sempre lhe dava sermões.

Meu avô gostava muito de *shogui*[3], e quando recebia visita de um ex-discípulo, sempre ficava jogando na varanda. Eu também jogava de vez em quando. Começava-se pelo grau de iniciantes *fusan bu* e, conforme ia aumentando o grau, o número de peças do jogo ia aumentando. Quando

---

[2] Chave de articulação. (N.R.T.)

[3] Uma espécie de xadrez japonês. (N.R.T.)

estava já no *kakuotoshi*[4], lembro-me de uma vez em que, enquanto meu avô se ausentou para ir ao banheiro, escondi uma peça importante dele e, descoberto, recebi um soco repentino.

Até morrer, meu avô assistiu atentamente ao nosso treino, usando vestimenta formal japonês (*hakama*), sentado no lugar próprio para mestres, na academia. Pelo que conta meu pai, por várias vezes ele foi convidado pelo professor Jigoro Kano da Kodokan para participar do judô, mas nunca consentiu, dizendo que era do estilo Tenjin Shinyo. Porém, ao iniciar a era Taisho, foi presenteado abruptamente com o 6° dan da Kodokan pelo professor Kano e resolveu trocar a atividade da academia para judô.

Depois disso, meu pai e o seu irmão mais novo, Tsuneo, foram enviados para Tóquio para participar do *Shotyugueiko* (treino de verão) e do *Kangueiko* (treino de inverno) da Kodokan e passaram por um rígido treinamento de judô.

Eu também fui mandado por meu pai para frequentar o *Shotyugueiko* e o *Kangueiko* da Kodokan, desde a época em que estudava no segundo grau.

Segundo meu pai, o meu avô não mostrava o seu treinamento para outras pessoas e treinava sempre sozinho o *kata* e o *atemi-waza* e, algumas vezes, quando um antigo discípulo o visitava, os dois se trocavam para *keikogui*[5] e treinavam, em segredo, até suar.

No antigo jiu-jitsu, não havia *randori*[6] e se treinava repetidamente o *kata*. Se um *kata* era aperfeiçoado, o professor concedia mais um novo *kata* e, quando este *kata* progredia com o treino repetitivo, ensinava-se um outro de dificuldade maior. E assim concedia-se o certificado para o remanescente.

Uma vez, meu pai me mostrou um rolo de papel que era o certificado de iniciação às artes secretas de meu avô. Havia escritas muito di-

---

[4] Um dos níveis dos jogadores no shogui. (N.R.T.)

[5] Um tipo de vestimenta para treino. (N.R.T.)

[6] Treinamento livre. (N.R.T.)

fíceis como *sekka, yukiyanagui, sarutobi*; palavras ininteligíveis para mim. Quem treinou repetidamente cada um dos *kata* lendo poderá entender.

Perguntando sobre o jiu-jitsu do senhor Ogawa, da escola Budokan, para os professores que foram seus discípulos, eles afirmaram que, antigamente, era a mesma coisa. Para o discípulo talentoso escolhido, ensinava-se particularmente *atemi-waza, kansetsu-waza* e *goshin-jutsu*, profundamente.

O senhor Ogawa explica:

"O mais importante é a postura. Se a postura não for correta, não há técnica certa. Na hora do treino, não se pode curvar as costas, ou abaixar a cabeça. Deixe o oponente segurar onde ele quiser, segure firmemente também o oponente e, com a postura correta, aplique o golpe. Enquanto não aperfeiçoar o golpe até certo ponto e não formar uma base firme, não se pode competir."

Realmente, é um ensino maravilhoso. No judô de hoje, há muitos torneios. Sem conhecer o básico, sem saber das técnicas, ensina-se somente as táticas para vencer uma competição. Assim, não há uma boa preparação para obter um *ippon*. Para adquirir uma técnica aprimorada, não há senão o treino repetitivo de *uchi-komi*[7].

É extremamente ridículo ver a Kodokan gritando em alto som agora: "aprendam o judô para obter *ippon*, o judô correto", para o judô atual que se transformou em judô de competição.

O senhor Ogawa era de pequena estatura e nunca ingeriu bebidas alcoólicas.

Budokan que se espalhou para todo o Brasil

A época em que vim para o Brasil deve ter sido a mesma em que a Budokan estava no seu auge. Em todo o Brasil, havia mais de cem filiais. Pensando em como seria a pessoa que administrava esta organização, fui visitar a filial de São Paulo acompanhado pelo senhor Yokoyama. O

---

[7] Treinamento de golpes. (N.R.T.)

prédio ficava em uma esquina onde se encontra o atual edifício do jornal *Folha de São Paulo*, na rua Tomás de Lima. Era uma academia pequena, com teto baixo, parecendo uma loja comercial destruída, e no seu porão emendado, muitos jovens *nikkeis*[8] afluíam e treinavam em delírio.

Em frente à academia, estava um senhor de estatura pequena, vestindo um cardigan amarelo sentado em *seiza*[9], assistindo o treinamento com um olhar fixo. Quando entrei, todos pararam de treinar e abriram caminho. Fui apresentado para o senhor Ogawa e o cumprimentei.

– Sim – assentiu com a cabeça e não me disse nada mais.

Tive o privilégio de trocar para *judogui* e suar um pouco. Todos tinham postura boa, não eram obsessivos na pegada e, quando eu aplicava golpes, surtia efeitos inacreditáveis. O senhor Ogawa concordava afirmativamente, balançando a cabeça, todas as vezes que eu aplicava golpes. Parecia um antigo samurai e se assemelhava muito ao meu avô.

Meu avô também, como o senhor Ogawa, fazia *seiza* na fachada da academia dele, num canto onde havia um quadro pendurado, por várias horas seguidas, como uma escultura de madeira, sem se mexer, olhando fixamente o nosso treino.

Quando acabou o treino, fez um *rei*[10] silenciosamente e desapareceu.

Eu estava maravilhado em como um senhor idoso de pequena estatura organizou a grande Budokan de todo o Brasil.

Alguém ligada a Kodokan disse para mim: "No passado, Ogawa veio para Registro, e era um operário que fazia *tatami*. Como entendia um pouco de jiu-jitsu, o professor Okochi o contratou como gerente da academia da Liga de Ju kendo. Em 1941, iniciou-se a Guerra do Pacífico e, quando as autoridades ordenaram dissolver a Liga de Ju kendo, Ogawa pediu ao senhor Okochi para que cedesse a academia, e ele então pendurou a placa da Budokan. Durante a guerra, inspirado pelo espírito

---

[8] Nome dado àqueles que são parte da colônia japonesa. (N.R.T.)

[9] Sentar-se sobre os joelhos. (N.R.T.)

[10] Saudação, cumprimento. (N.R.T.)

japonês, visitou cada colônia japonesa, foi militante do Shindo Renmei[11] e, em cada colônia japonesa, fundou uma filial. Por isso, depois da guerra, quando reativamos o judô, quase todo o interior estava fortificado. O próprio Ogawa não conhece nada de judô; isso é imperdoável, pois, impertinente, ele oferece graduação pelo Budokan Ogawa".

No entanto, logo após a guerra, chegou a primeira delegação de judô do Japão, composta dos campeões Yoshimatsu e Ozawa, chefiada pelo professor Takagaki. Na ocasião, fizeram uma demonstração e uma competição. Os atletas Martins e Durval, que judiaram de Ozawa, meu honrado professor, e fizeram-no admitir admirado "que atletas tecnicamente muito bons", treinaram e ficaram fortes na matriz desta Budokan, e receberam o *shodan* de lá. Depois, se transferiram para o Clube Jaguaribe, onde o professor Fukaya ensinava, mas a base do judô aprenderam com o professor Ogawa. Por isso, sua postura é boa. A partir da boa postura, ataca-se com um *uchi-mata* corajoso e um *hane-goshi*. Além deles, surgiram muitas pessoas talentosas.

O pai de Luiz Shinohara e professor de Aurélio Miguel, Massao Shinohara, o campeão do primeiro Pan-Americano, Hikari Kurachi, e os irmãos Hiroshi e Akira Yamamoto foram os que fundaram a primeira filial da Budokan na Freguesia do Ó. São também todos originários da Budokan: Masayoshi Kawakami, que participou do 2º Campeonato Mundial e desmaiou após uma luta acirrada durante seis minutos com Kimiyoshi Yamashiki, 6º dan do Japão; o primeiro presidente da Confederação Brasileira de Judô, que residiu no Rio de Janeiro, Augusto Cordeiro; o discípulo Rodolfo Hernani; Luiz Mendonça; Jorge Mehdi; Tadao Nagai de Recife; Jorge Yamashita, campeão pan-americano e o atleta Hinata, aluno de um aluno dele. Shigueto Yamazaki da Academia Yamazaki e o seu irmão Mário eram também faixas pretas da Budokan. Fuyuo Oide, 9º grau, da academia rival da minha, a Budokan da Lapa, também era originário da Budokan.

---

[11] Shindo Renmei foi uma associação considerada terrorista que se formou no interior de São Paulo nos anos 1940. Alguns membros mais fanáticos cometiam atentados violentos contra aqueles que acreditavam nas notícias que o Japão havia sido derrotado na Segunda Guerra Mundial. Para saber mais, acesse: <https://pt.wikipedia.org/wiki/Shindo_Renmei>. (N.R.T.)

Não é exagero se eu disser que quase todos os judocas do Brasil que eu conheço são originários da Budokan.

Por que a Budokan Ogawa se desenvolveu desta maneira? Só posso reconhecer que foi por causa da virtude natural e da personalidade do senhor Ogawa.

Ele ia até onde havia aglomerações de japoneses praticantes de judô e explanava sobre o espírito japonês e a maravilha do judô por várias horas para os anciãos do local. Durante a explanação, não mudava da posição *seiza*, explanava como um velho samurai sobre as vantagens do judô que herdou o *Bushido*[12] do Japão. Os que simpatizavam eram filiados. Onde não havia quem liderasse o judô, enviava os seus pupilos e onde havia, era concedido a eles graus de Budokan.

Promoção de faixas e a administração da academia

Nessa época, a promoção de faixas da Budokan, o exame para *shodan*, era muito difícil. Vinte pessoas de faixa marrom deveriam competir entre si. Os que perdiam iam saindo e somente os três primeiros colocados recebiam o *shodan*.

O próprio senhor Ogawa orientava pessoalmente os *kodanshas*, com atenção aos detalhes, o *kata* de jiu-jitsu, *atemi-waza*, *kansetsu-waza* e somente aquele que recebia ensinamentos dele é que era permitido ser *kodansha* e era responsabilizado por uma filial.

A Budokan coletava anualmente um valor irrizório das filiais. Mas a maior arrecadação era de promoção de faixas, da habilitação de *shodan* e da mensalidade dos alunos.

Eu também ensinei judô durante quarenta anos em São Paulo e me sustentei com isso, afinal o sustento de um professor de judô é o aluno. Em primeiro lugar, deve-se formar um bom aluno. A criança começa na faixa branca e vai sendo promovida para a faixa azul, amarela, alaranjada, verde, roxa e marrom. Durante esse tempo, três ou quatro vezes ao

---

[12] Código de honra dos samurais. (N.R.T.)

ano, realiza-se o exame de promoção de faixa e, todas as vezes, cobra-se o valor do certificado e da faixa. Essa é a principal receita.

Porém, não podemos conceder na academia o dan, que é a principal graduação no judô. Anteriormente, a Liga Brasileira de Ju Kendo dava a licença com a autorização da matriz do judô, a Kodokan. Após a guerra, isso foi extinto e cada academia passou a aprovar ela mesma os alunos, e essa concessão de grau passou a ser a melhor origem da receita de uma academia. Se a promoção de faixa custa trinta reais, a promoção de grau custa trezentos reais.

O karatê está dividido em escolas diferentes, e cada escola está filiada à matriz do Japão que expede o dan. Penso que no aikidô e taekondô adotam o mesmo sistema. O sonho de um professor de *Bushido* é tornar-se ele próprio o fundador e ele próprio expedir o dan.

Por isso, o senhor Ogawa realizava o próprio exame de *shodan* da Budokan e, após um exame rígido, concedia o dan e proibia torneios entre outros estilos.

O mestre Kano da Kodokan, também, na época de prosperidade da Kodokan, competiu em torneios contra o velho estilo jujútsu, mas quando a fama do Kodokan foi se elevando e o poder do judô foi se estabelecendo, proibiu lutas entre os outros estilos. Baniu firmemente as competições contra o boxe, luta livre, karatê e jujútsu.

O senhor Ogawa também proibiu torneios externos e diz-se que excomungava aquele que se envolvia com outros estilos sem a sua permissão. Quando são discípulos pessoais, ainda conseguia proibir, porém, quando se torna caso de discípulo do discípulo, ou discípulo de terceira geração, não há mais controle.

Com o passar do tempo, surgiram entre os professores de academias filiadas aqueles que se declaravam independentes e concediam os próprios dan para os seus alunos. Trata-se de Hikari Kurachi, da Academia Kurachi, e Shigueto Yamazaki, da Academia Yamazaki. Na época em que eu imigrei, havia concessões demasiadas de dan individual em cada academia da cidade.

A Budokan através de três gerações

O judoca sempre está à procura de um orientador forte e técnicas novas. Eu recebi os ensinamentos de meu pai e influências de diferentes professores desde o primeiro grau até a universidade, e sempre procurei adversários fortes para treinamento. No judô fica-se forte ao ser projetado. Se não for forjada, mesmo uma espada famosa fica embotada. Mesmo durante trinta anos após a morte do senhor Ogawa, por três gerações, a Budokan Ogawa foi passada de filho para neto.

O filho, o senhor Matsuo, foi, durante longos anos, membro da Comissão de Promoção da Confederação e faleceu aos 75 anos. Após sua morte, a Confederação Brasileira de Judô do Brasil concedeu à sua memória o 10° grau do mundo do judô do Brasil.

Hatiro, o filho do senhor Matsuo, era grande no porte físico desde jovem e possuía excelentes qualidades. Já no tempo de júnior, entre os pesos-pesados do Brasil, era o centro das expectativas, foi vitorioso em inúmeros torneios dentro do país e atuou muito bem nos torneios internacionais. Em 1976, no Torneio Pan-Americano de Judô realizado na Venezuela, venceu nas categorias peso-pesado e no absoluto, e elevou o nome do Brasil. No Torneio Sul-Americano, foi também vitorioso por duas vezes na categoria peso-pesado. O *uchi-mata* esquerdo de Hatiro que levantava a perna ao alto era muito bonito.

Hatiro e eu sempre treinávamos juntos, ele era muito bom nas pegadas e na postura correta. Foi desapontador quando deixou muito cedo de ser atleta por causa dos ferimentos que teve no ombro. Depois de alguns anos após ter deixado as lutas, surgiu como candidato para presidência da Federação Paulista e foi eleito. Eu também o apoiei, visto que a Federação teria como presidente um judoca que fez o verdadeiro judô, e, para apoiá-lo, fui ser técnico da Federação Paulista e trabalhamos para o fortalecimento do judô do estado de São Paulo. Infelizmente, por motivos familiares, Hatiro deixou o judô no primeiro mandato.

Atualmente, quem está sustentando a Budokan é o irmão mais novo de Hatiro, o senhor Hitoshi. O senhor Massao Shinohara da Academia de Vila Sônia é quem o apoia.

O Torneio da Budokan chegou ao quinquagésimo aniversário. É louvável, qualquer coisa que seja, continuar por 50 anos consecutivos. Diz-se que "perseverar em algo difícil produz força".

Não se ouve dizer comumente que uma atividade continuou por 50 anos, mesmo nos negócios da colônia paulista. Nem que, com o passar dos anos, algo está se engrandecendo. Isto indica o quanto a orientação do senhor Ogawa era excelente. Ao mesmo tempo, o ensino repetitivo do senhor Ogawa de que "o judô correto vem da postura correta" chama a simpatia das pessoas que cansaram de ver o judô "esporte", no estilo de luta greco-romana de postura encurvada.

Certamente, o senhor Ogawa, onde estiver, está alegre com o andamento do judô, penso eu.

YASUICHI ONO

Fundador da Academia de Judô Ono

Após falar sobre o senhor Tatsuo Okochi, que representa a Kodokan, e sobre o fundador da academia Ogawa Budokan, senhor Ryuzo Ogawa, quero deixar por ora a história do Conde Koma e narrar a árdua luta dos irmãos Yasuichi e Naoichi Ono, fundadores da Academia Ono.

Quando digo "senhor Ono", estou me referindo ao senhor Yasuichi. Ele era muito forte, apesar de não ter porte avantajado: tinha cerca de 1,65 metro de altura e pesava aproximadamente 70 quilos.

O senhor Ono nasceu em 1910 como segundo filho homem de sete irmãos (cinco homens e duas mulheres), na província de Okayama, distrito de Asaguchi, hoje pertencente à cidade de Okayama. Desde criança, era valente e costumava ser chefe da garotada. Aprendeu judô do estilo *Genbu* de Okayama, que contém a corrente do estilo *Kitô*, de Koryu Jiu-jitsu presidido por Yaichihyoue Kanamitsu, 9° dan. O professor Kanamitsu é conhecido como mestre da técnica *ne-waza*[1]. Era professor de judô do Colégio Rokkou de Okayama, que derrotou o Colégio Yonkou (Kanazawa), o inimigo invencível no torneio colegial de judô, e conquistou vitórias consecutivas do 8° ao 16° campeonato. Foi o

---

[1] Luta de solo. (N.R.T.)

criador do famoso golpe *sankaku-jime*[2], sendo que na técnica *ne-waza*, seu nome era tão famoso quanto o de Tsunetane Oda e de Yaichihyoue Kanamitsu.

O professor Kanamitsu diz o seguinte: "Eu sigo a corrente do estilo *Kitô* e, desde cedo, aprendi as duas técnicas *nague-waza*[3] e *katame-waza*[4]. Por isso, qualquer que fosse o adversário, sempre usei *tachi-waza*[5] e venci com *ne-waza*. Quando se é forte em *ne-waza* é possível aplicar os golpes de *tachi-waza* sem receio, entretanto, se está inseguro em relação ao *ne-waza*, não se consegue aplicar o *tachi-waza* à vontade. Portanto, o *nague-waza* auxilia o *katame-waza* e, por sua vez, o *katame-waza* aumenta o poder do *nague-waza*. Há três tipos de *ne-waza*, que são *osae-waza*[6], *shime-waza*[7] e *kansetsu-waza* que devem ser bem dominados."

Entre os atletas que construíram a época de apogeu do Colégio Rokkou estão os famosos irmãos Hayakawa. O mais velho, Noboru, é 8º dan (presidente da Liga de Judô de Hokkaido e diretor-superintendente da fábrica Oji Seishi), e o mais novo, Massaru, foi diretor da Keidanren por muitos anos, tendo visitado o Brasil em 1978 como líder do grupo de atletas japoneses, entre eles o Yamashita, durante o Campeonato Universitário Mundial de Judô realizado no Rio de Janeiro. Durante muitos anos, Massaru presidiu a Liga Japonesa de Judô Estudantil, contribuindo para o seu desenvolvimento. Além disso, o Colégio Rokkou foi o criadouro de grandes atletas, a exemplo do 8º dan Takeshi Sakurada (presidente da Nisshinbou) e do Shigueo Nagano (presidente da Shin Nittetsu). Todos discípulos de Kanamitsu.

---

[2] Estrangulamento aplicado com as pernas em forma de triângulo. (N.R.T.)

[3] Técnica de projeção. (N.R.T.)

[4] Técnica de solo. (N.R.T.)

[5] Técnica em pé. (N.R.T)

[6] Técnica de imobilização. (N.R.T.)

[7] Técnica de estrangulamento ou asfixia. (N.R.T.)

O senhor Ono recebeu do professor Kanamitsu o grau um. Tinha 18 anos na época. Um ano antes de vir ao Brasil, venceu o campeonato da província de Okayama na categoria *dangai*[8], conquistando o *shodan*.

No início de 1929, emigrou para o Brasil junto com seu irmão Naoichi. Assentou-se num cafezal próximo à cidade de Franca na linha Estação Ferroviária Mogiana, mas, após quatro anos, encerrou a vida de lavrador e mudou-se para São Paulo e passou a administrar uma quitanda com seu irmão. Contudo, depois de vencer o 2º Campeonato Brasileiro de Judô e Kendo, fundou a Academia Ono, na esquina das avenidas São João e Ipiranga.

A fim de conseguir o sustento, a partir de então, começou a lutar por aposta com outros estilos. Segundo declaração do senhor Naoichi Ono, o senhor Yasuichi nunca perdeu uma luta. O prêmio era dividido na proporção de 60% para o vencedor e 40% para o perdedor. Dominou sua especialidade *ne-waza* que fora transmitida diretamente pelo professor Kanamitsu, levando quase todos os adversários à desistência com *shime-waza* e *kansetsu-waza* da técnica *ne-waza*. Mais do que vitória ou derrota, parece que se empenhou na luta com a finalidade de divulgar o nome da academia. É o mesmo que fiz para divulgar o nome da minha academia ao me naturalizar para lutar pelo Brasil nos torneios mundiais e nas Olimpíadas. Se você não for conhecido na praça, ninguém virá para ser seu aluno. Lutei bravamente para fazer propaganda da academia.

Porém, em relação ao senhor Ono, diferentemente do meu caso, ele se lançou ao desafio de lutar com estilos diferentes. Na época, as lutas entre escolas resultavam em troca-troca de seus respectivos alunos, de forma que a escola vencedora aumentaria o número de ingressantes, e à perdedora aconteceria o inverso. Por esse motivo, não era permitido perder de forma nenhuma. Em uma das lutas do Campeonato Brasileiro de Judô e Kendo, o senhor Ono enfrentou o senhor Katsutoshi Naito, medalha de bronze em luta livre nas Olimpíadas de Paris. Sem dar ouvidos à ordem do juiz que o mandou parar em certo momento, Ono acabou quebrando o braço do adversário. Isto é inevitável quando se é profissional.

---

[8] Graduação abaixo da faixa preta, inferior. (N.R.T.)

Os samurais de antigamente perdiam a vida nas lutas com outros estilos. O senhor Ono possuía a força extrema de um profissional, aparência tranquila e estava sempre sorridente no trato com as pessoas, mas uma vez sério, seus olhos adquiriam um brilho terrificante. Eu o encontrei por duas ou três vezes e pude sentir isso nessas ocasiões. A primeira vez foi quando vim ao Brasil em julho de 1964, logo após o Campeonato Brasileiro de Judô e Kendo. De repente, um senhor de meia idade, gordinho e de feições bondosas me dirigiu a palavra.

– Eu sou Ono. O senhor é muito forte. O que faz atualmente?

Surpreso, respondi:

– Atualmente estudo português e agricultura em Presidente Prudente. Como acabei de chegar, ainda não entendo muita coisa.

– É uma pena. É um desperdício ficar na agricultura. Não quer vir para São Paulo? Não gostaria de ensinar judô na minha academia?

– Sim, pensarei a respeito.

– Está bem. Caso resolva vir a São Paulo, por favor, me procure. Este é o meu cartão. – Dito isso, despediu-se.

Posteriormente, fiquei espantado ao saber que aquele era o famoso senhor Yasuichi Ono. Parecia um homem comum que encontramos todos os dias e, de forma nenhuma, aparentava ser um lutador de arte marcial.

Luta com Hélio Gracie

Esse mesmo senhor Ono, em nome da honra do judô, chegou a lutar com o pai de Rickson Gracie, Hélio Gracie, considerado o homem mais forte do mundo. Hélio, conhecido como o rei do jiu-jitsu, desafiou o judô. Foi logo após a guerra. Hélio, nessa ocasião, tendo derrotado o judoca japonês Yano, 3° dan, e causado a rendição de Tomio Tomikawa, 3° dan, estava no auge de sua performance.

O senhor Ono se deslocou até o Rio de janeiro, reuniu uma grande plateia de dez mil espectadores no Maracanãzinho e enfrentou Hélio Gracie. O combate se inflamou e ambos lutaram aplicando todas as técnicas sem recuar um passo. Havia também a presença de muitos *nikkeis* e foi uma grande guerra de torcidas.

No *tachi-waza*, o senhor Ono foi imbatível arremessando Hélio cerca de vinte vezes. Entretanto, hábil no *ne-waza*, Hélio custava a jogar toalha. Mesmo sendo arremessado e pressionado contra o chão, se o adversário colocar a mão nas cordas é emitida uma ordem de parar. A luta terminou em empate por ter esgotado o tempo. Foi realizada nova contenda em São Paulo que também terminou em empate. Quando dois adversários fortes em *ne-waza* se enfrentam, a luta se torna difícil.

Conta-se que, outrora, nos campeonatos colegiais, muitas lutas terminavam em empate após trinta minutos, sendo então prorrogadas por mais trinta minutos, e depois por mais trinta minutos, não chegando a nenhuma decisão mesmo após uma hora e meia de combate. Seja como for, pela honra do judô, o senhor Ono protagonizou por duas vezes um combate mortal contra o lutador de jiu-jitsu Hélio Gracie. Era impressionante a energia e a habilidade do senhor Ono.

As técnicas dominadas por ele eram *kouchi-gari* e *ippon-seoi-nague*; além disso, era bom em *shime-waza* e *ude-hishigui-juji-gatame*, técnicas que consistem em deitar, imobilizar e aplicar chave nas articulações. A luta contra Hélio Gracie teve seis rodadas de dez minutos cada, totalizando uma hora. É realmente uma resistência espantosa.

A diferença entre jiu-jitsu e judô

Antes de me naturalizar brasileiro, eu também ensinava técnicas de judô *tachi-waza* aos alunos da academia de Pedro Hemetério, primeiro discípulo de Hélio Gracie e representante de jiu-jitsu na cidade de São Paulo. Frequentei em todas as manhãs de terça e quinta-feira a sua academia, que ficava no sétimo andar de um prédio localizado na entrada da avenida Nove de Julho.

Sempre que eu tinha tempo, treinava com esforço extraordinário a técnica de *ne-waza* com Pedro. Ele tinha um corpo extremamente flexível e, por mais que eu o segurasse, escapava qual uma enguia. Por mais que eu o apertasse, não entregava os pontos. Se eu tentava dar o contra-ataque, ele reagia prontamente. De fato, o *ne-waza* que eu aprendi no Japão não tinha nenhuma utilidade.

Pela regra do judô, prende-se o adversário, arremessa-o e imobiliza-o no tablado. Havia um padrão que consistia em aplicar o *shime-waza* ou o *kansetsu-waza* no momento que o oponente girava para tentar escapar. Entretanto, o *ne-waza* do jiu-jitsu prende o combatente por trás desde o início. Se pensar em jogá-lo com o golpe *makikomi*, ele se cola nas costas qual um *mochi* (bolinho de arroz) e não se desgruda. E então rapidamente vem o estrangulamento. Se o oponente tentar se defender com os braços, vem a chave de braço. Se lutar de frente, utilizando *ouchi gari* ou *kouchi gari*, o tronco será imobilizado pelas duas pernas e terá o pescoço estrangulado.

Quando jovem, jamais consegui vencer Pedro Hemetério com a técnica *ne-waza*. Penso que, com certeza, o *ne-waza* de Hélio Gracie era semelhante ao dele.

Certo dia, Pedro me convidou para ir ao Ginásio do Ibirapuera: "Ishii, está vindo um grupo de Hélio Gracie do Rio de Janeiro. Já que, ultimamente, o karatê vem se gabando dizendo que basta apenas um golpe para derrotar o jiu-jitsu, vamos dar-lhe uma lição".

Dito isso, fui apresentado ao Hélio Gracie. Nessa época ele já estava com cabelos brancos e aparentava mais de 60 anos.

O Hélio subiu ao ringue com um microfone e desafiou o lutador de karatê. Aconteceram quatro a cinco lutas acaloradas entre os discípulos. Exaltados, a luta acabava transformando-se em pancadaria, mas, uma vez aplicado o *ne-waza*, o karatê covardemente era estrangulado e derrubado, ou sofria uma chave de braço, desistindo imediatamente, resultando em vitória contundente do jiu-jitsu. Consequentemente, o professor de karatê se esquivou e o Hélio acabou não lutando. Eu também fui tomado pela vontade de lutar, mas me contive. Prevaleceu a razão, uma vez que, se lutasse por aposta, as Olimpíadas e os torneios mundiais iriam pelos ares.

"Ishii, você viu? O jiu-jitsu é a técnica de luta mais forte do mundo. O karatê não é páreo!", foram as palavras de Hélio Gracie. Eu me lembro de que fiquei excitado a ponto de sentir meus olhos se avermelharem por instantes. Fui levado ao Ceará, terra natal de Pedro, onde enfrentei muitos amigos dele de jiu-jitsu. Como essa experiência ajudou imensamente o meu judô, posteriormente! A confiança na minha força em *ne-waza* fez aumentar o poder da minha habilidade em *ouchi gari* e *uchi mata*.

A Academia Ono se expandiu em todo território brasileiro

Acabei me desviando do assunto principal que era a história da vida do senhor Ono.

O judô do senhor Ono se expandiu entre os brasileiros de São Paulo e essa reputação ecoou em todo território brasileiro. Ele montou uma grande academia no Edifício Martinelli, no centro de São Paulo, seu irmão Naoichi abriu outra no bairro do Brooklin e seu filho fundou uma na rua Augusta e outra na avenida Brigadeiro Luiz Antônio. No seio da alta sociedade de São Paulo, não havia quem não conhecesse o nome de Judô Ono. Era a fama construída com afinco pelo senhor Ono. É de fato extraordinário que ele, com seu pequeno porte físico, tenha lutado com lutadores brasileiros de porte avantajado de boxe, luta livre e jiu-jitsu sem sofrer uma única derrota.

O senhor Okochi e o senhor Ogawa imigraram para o Brasil quando tinham, respectivamente, 32 e 51 anos de idade. Ambos estavam na idade da razão e vieram ao Brasil após terem trabalhado em diversas áreas e adquirido boa experiência de vida. O senhor Ono imigrou ao Brasil aos 19 e eu aos 22 anos de idade. Nenhum de nós dois trazia conhecimento algum sobre a vida, a não ser o judô e a juventude. Quando abandonou a agricultura, o senhor Ono deve ter decidido sobreviver em função do judô e se entregou ao mundo dos jogos e apostas. Para viver com dignidade, passou a trilhar o caminho de profissional.

Também eu, quando desembarquei no porto de Santos trazendo duas malas debaixo dos braços, estava cheio de sonhos e esperanças e pretendia desbravar a imensa floresta virgem e me tornar um grande fazendeiro. Após ter meu sonho despedaçado, quando resolvi encarar a vida apenas com a juventude que me restara e o judô, da mesma forma que o senhor Ono, quatro anos havia se passado desde que imigrara ao Brasil. Eu despertei para a verdade de que não sabia nada além do judô, por isso fiz de tudo para ficar bom nesse esporte. Lutei sumô e também experimentei o rugby. Desafiei o *body building* (ginástica para criar músculos) com todas as minhas forças. Fui aprender *ne-waza* do jiu-jitsu. Com a única finalidade de me tornar forte no judô, prossegui os estudos pacientemente.

Com certeza, o senhor Ono deve ter passado pelas mesmas situações. Isso é relatado por aquele olhar penetrante e severo de um profissional, oculto por trás de seu sorriso bondoso. Anos mais tarde, quando seu filho Akira foi escolhido para representar o Brasil nos Jogos Pan-Americanos, senhor Ono veio me visitar na academia com ele.

– Senhor Ishii, há quanto tempo! Meu filho Akira vai participar dos Jogos Pan-Americanos do Canadá como representante da categoria peso-leve. Quero que o faça vencer. Pago qualquer preço. Por favor!

– Entendi. Farei o máximo – e virei-me para Akira – A partir de hoje, venha nas manhãs de segunda, quarta e sexta-feira. Eu o treinarei sem dó nem piedade, deixe comigo!

Desta forma teve início um treinamento especial. Com quase 100 quilos, eu era da categoria peso-pesado e Akira com 60 quilos era atleta de peso-leve. Por mais que ele usasse a técnica que conhecia, não era páreo para mim. Entretanto, o seu *ouchi gari* tinha algo penetrante. Essa também era minha técnica favorita.

– Akira, o *ouchi gari* deve ser empurrado com o umbigo em vez de usar os braços. Veja, quando se encosta o peito desta maneira, começa-se a encostá-lo pela barriga e vai apertando com o umbigo como se fosse girar um parafuso. Se fizer assim, o oponente não poderá reagir. Está ruim, é assim. Olhe, é para prensar o umbigo. Isso, isso! É assim mesmo! Mais uma vez. Muito bom, mais um pouco. Gire como um parafuso. Isso, está bom...

Desta maneira, ele dominou o *ouchi gari* e conquistou a medalha de ouro nos Jogos Pan-Americanos. Quão grande terá sido a alegria do senhor Ono? Após retornar do Canadá, Akira veio à minha academia na companhia do pai trazendo muitos presentes.

– Professor, o *ouchi gari* foi realmente eficaz. Muito obrigado! – disse Akira.

– Senhor Ishii, muito obrigado por tê-lo treinado tão bem. Isso é apenas um sinal de gratidão... – Junto com essas palavras do senhor Ono, recebi uma quantia bem considerável.

Lembro-me de que, anos depois, Akira veio me cumprimentar, pois iria se candidatar a vereador de São Paulo. Algum tempo depois, recebi a notícia de que Akira tinha falecido e pensei na tristeza do senhor Ono. Depois disso, este não saiu mais de casa. Telefonei-lhe várias vezes solicitando uma entrevista, pois queria escrever sobre a história do judô, mas minha solicitação sempre foi recusada. Sem alternativas, fui à academia do seu irmão Naoichi para saber sobre a vida pessoal do senhor Ono. O senhor Naoichi me contou que, nos últimos anos o senhor Ono sofria de um leve mal de Alzheimer e andava muito esquecido, desgostoso de sair em público, vivia recluso no apartamento.

Quase todos os mestres que construíram a história do judô no Brasil já faleceram. No Brasil, muitos viveram a vida de forma prazerosa. Há muitas pessoas que levaram uma vida extraordinária que seria impossível experimentá-la no Japão. O senhor Ono é um desses representantes. De certa forma, foi um dos vencedores da imigração. Tenho a impressão de que teve uma existência muito mais interessante do que vários especialistas de judô que ficaram no Japão.

KATSUTOSHI NAITO

Dentre os fundadores de judô no Brasil, quero destacar mais uma pessoa, o senhor Katsutoshi Naito. Até agora citei o senhor Okochi, o senhor Ogawa e o senhor Ono, todos que eu conheci pessoalmente, conversei e até almocei junto. Porém, eu nunca havia encontrado o senhor Naito, apesar de dever imensos favores ao seu filho Katsuhiro. Na época em que eu participava de lutas como um dos atletas, o senhor Katsuhiro era presidente da Federação Paulista de Judô. O fato de eu ter me naturalizado e participado de campeonatos mundiais e Olimpíadas se deve em grande parte ao esforço do senhor Katsuhiro. Uma vez que eu e o senhor Katsutoshi nunca nos encontramos, não me resta alternativa a não ser escrever me baseando na documentação e na imaginação.

Em relação ao senhor Katsutoshi Naito, o senhor Masayuki Miyasawa, um famoso colunista esportivo do Japão formado pela Universidade Takushoku e jornalista esportivo do antigo *Jornal Nikkan*, escreveu um romance sobre um episódio secreto das Olimpíadas de Paris, intitulado *A distante Universidade Estadual de Pensilvânia: a vida ilusória do medalhista de bronze Katsutoshi Naito*. O senhor Miyasawa esperava torná-lo a obra-prima de sua existência. Ele já foi apresentado como pequeno conto nas páginas da edição especial da revista literária *Bunguei Shunjin* (Anexo do *Bunguei Shunjin*, nº 217, ano 1996).

Pelo fato de ele próprio ter sido lutador de luta livre na época da Universidade Takushoku, o senhor Miyasawa era grande admirador do senhor Katsutoshi Naito. Curioso, quis saber a razão pela qual não constava nenhum registro sobre o primeiro medalhista de bronze nipônico das Olimpíadas de Paris na Associação Japonesa de Luta Livre. Após pesquisas, descobriu que ele emigrara para o Brasil e perguntando aqui e ali, descobriu o seu endereço no país e enviou uma carta diretamente endereçada ao senhor Naito.

A partir de então, teve início uma troca de correspondências. O senhor Miyasawa apaixonou-se pelo caráter e estilo de vida humilde e reservado do senhor Naito, próprio de um esportista, a ponto de querer escrever sua biografia. Assim, percorreu o seu rastro, a começar pela Universidade da Pensilvânia onde estudou; por três vezes veio ao Brasil e acabou se tornando amigo da família do senhor Naito.

Penso que o senhor Naito teve realmente uma vida cheia de aventuras e repleta de emoções. Se compararmos a vida de uma pessoa com uma folha de papel, existem folhas brancas longas e inexpressivas sem rugas nem manchas, e também pedaços de papel rasgado. Também há aquelas folhas emboladas e amassadas como se fossem lixo.

Parece que a vida do senhor Naito, ao longo de seus 75 anos, foi uma folha de papel amassada, embolada e totalmente enrugada que, após ser desamassada, se revelou uma vida cheia de aventuras – três vezes mais que a de uma pessoa comum.

Percebemos isso observando o modo de vida de japoneses na atualidade. Desde o jardim da infância, ingressam em uma escola pertencente a uma universidade de renome e, pelo método progressivo, seguem estudando o ensino fundamental, o ensino médio e a faculdade; são admitidos em uma grande empresa, casam-se apadrinhados pelo seu superior, têm filhos, são promovidos para chefe de setor, depois para chefe de departamento, aposentam-se compulsoriamente por idade e vivem tranquilamente o resto da vida. Ou, então, seguem os negócios da família e tornam-se pessoas notáveis da região, fazem viagens ao exterior quatro ou cinco vezes no ano, sentem-se como se conhecessem o mundo, até caírem em sono eterno velado por todos. Para viver no Japão, estereotipado como um país pacífico, deve-se levar também uma vida estereotipada.

O escritor Shiba Ryotaro dizia o seguinte: "O Japão é uma sociedade semelhante aos desenhos infantis para colorir. A cor da montanha é verde, o mar é azul, o sol é vermelho, o céu é azul-celeste, e tudo é estabelecido segundo respostas-modelos, por isso, se você sair deste padrão, receberá uma severa punição. A razão do bullying existente nas escolas de ensino fundamental e médio do Japão talvez se deva a esse fator".

Países como Estados Unidos e Brasil são consideradas "sociedades de desenho livre". Basta pintar com as cores que desejar a bel-prazer, conforme o que estiver sentindo. Não existem respostas-modelos. Você pode fazer seu próprio desenho com liberdade e conforme sua vontade. Achei muito compreensível.

Nos meus eventuais retornos ao Japão, quando esbarrava com a massa humana vestida de terno azul-marinho ou cinza-escuro nas horas de *rush*, tinha impressão de estar encontrando uma fileira de formigas e chegava a sentir calafrios.

Acabei me desviando do assunto, mas o modo de viver do senhor Naito é muito rico em aventuras e emoções. Para maiores detalhes, gostaria de sugerir a leitura da biografia *A distante Universidade Estadual de Pensilvânia: a vida ilusória do medalhista de bronze Katsutoshi Naito*, do senhor Miyasawa.

O senhor Naito nasceu em 24 de fevereiro de 1895 na cidade de Hiroshima, Naka Ku, Nishihiki Midou Chô (atual Tookaichi Chô, Ni Chôme, Hirose Machi). O pai, Katsuaki, era oficial do exército, e sua mãe se chamava Assa. Seu pai morreu logo após seu nascimento e, aos 10 anos, o senhor Naito perdeu sua mãe que faleceu por doença cardíaca. No ano seguinte, seu irmão mais velho, Katsumi, também faleceu e o segundo filho homem, Katsutoshi, sucedeu o nome da família Naito.

Tendo perdido ambos os pais em tenra idade, Katsutoshi ficou sob os cuidados da família de sua irmã mais velha e foi para Taiwan onde passou sua infância. A sua irmã mais velha e seu marido deixaram o tristonho Katsutoshi sob os cuidados do mestre Takeuchi, da escola de artes marciais de Taipei, para aprender o judô. Em 1914, após concluir a escola ginasial de Taipei, ingressou no oitavo semestre do curso agrícola da Faculdade Kagoshima Koutou Nourin Gakkou. Katsutoshi, que já conquistara o 1º dan da Kodokan, na época do ensino médio em Taipei, fundou o clube de judô na faculdade. No verão do terceiro ano, participou do campeonato de verão de artes marciais de Kyoto: Butokuden, ficou invicto e conquistou o 2º dan da Kodokan. Em 1919, tendo concluído a Faculdade Koutou Nôrin de Kagoshima, Katsutoshi foi para Kyoto onde se dedicou aos treinamentos de judô tornando-se 3º dan.

Ainda em 1919, foi para os Estados Unidos e, no ano seguinte, ingressou na Universidade Agrícola da Pensilvânia. Naturalmente, nessa universidade não havia clube de judô. Entrou para o clube de luta livre, muito semelhante ao judô, participando ativamente desde o início e, no terceiro ano, venceu o torneio universitário na categoria 60 quilos. No quarto ano, foi escolhido para o honroso cargo de capitão da Universidade da Pensilvânia, contribuindo para as relações diplomáticas na área esportiva entre Japão e Estados Unidos.

Essa atuação chamou a atenção do embaixador Masanao Hanihara, que residia nos Estados Unidos, e, ainda cursando a faculdade, Katsutoshi foi escolhido para representar o Japão na modalidade luta livre, nas Olimpíadas de Paris. Foi direto dos Estados Unidos para Paris, e não se classificou na categoria 62 quilos do estilo greco-romano, porém ficou em terceiro lugar na categoria 61 quilos do estilo livre, conquistando a única medalha do Japão nessa competição.

Após retornar para Taiwan, como único medalhista das Olimpíadas de Paris, o senhor Naito apresentou a luta livre na Kodokan e na Escola de Mestres de Tóquio. Foi também calorosamente recepcionado na Faculdade Kagoshima Koutou Nôrin, onde estudou.

Graças a essa atuação do senhor Naito, surgiu o interesse pela luta livre entre os judocas, e assim, o senhor Ichiro Hatta, do clube de judô da Universidade Waseda, fundou o primeiro clube de luta livre nas dependências da universidade. Nas Olimpíadas de Los Angeles, o senhor Sumiyuki Kotani participou na categoria peso-médio, mas lamentavelmente ficou em 4º lugar. O senhor Naito é considerado o pai da luta livre no Japão, o benfeitor que difundiu e incentivou a luta livre no país.

Após as Olimpíadas, foi admitido pela empresa de fabricação de açúcar Taiwan Niitaka Seitou Gaisha, e se dedicou na reforma e benfeitoria de assuntos agrícolas. Em 1926, casou-se com Chiyoko Sakagami, e nasceu seu primeiro filho Katsuhiro, que se tornaria o grande presidente da Federação Paulista de Judô.

Brasil, um grande salto para o exterior

Em 1928, ele se demitiu da empresa Niitaka Seitou e, a fim de concretizar seu velho sonho de voar para o exterior, tornou-se membro da empresa de emigração internacional Nambei Takushoku Kabushiki Gaisha, fundada pelo presidente da Kanebo, senhor Sanji Mutou. Em setembro do mesmo ano, partiu de Kôbe a bordo do navio de imigração Hawai Maru da companhia de navegação Osaka e veio para o Brasil, passando pelo Oceano Índico e pela Cidade do Cabo. Desembarcou em Belém, na foz do rio Amazonas.

Nessa ocasião, o senhor Naito deve ter se encontrado com Conde Koma (Mitsuyo Maeda) em Belém. Na Colônia Tomé-Açu, doenças endêmicas, como a malária, foram devastadoras e o senhor Naito também a contraiu, fazendo-o abandonar a colônia de imigração e partir de Belém em direção ao Sul, estabelecendo-se em Itaquera, na periferia de São Paulo. Posteriormente adquiriu um terreno de 25 alqueires (aproximadamente 60 hectares) ao norte de Suzano, onde se fixou. Nessa época, o senhor Naito tinha 37 anos.

A Fazenda Naito teve início com plantações de goiaba, pêssego e verduras. Os outros filhos nasceram seguidamente, e a vida não era nada fácil.

Em 1931, foi fundada a Cooperativa Agrícola de Mogi das Cruzes e o senhor Naito foi empossado como diretor. Em 1933, foi constituída a Confederação Brasileira de Judô e Kendo, na qual seu nome figura como um dos promotores. Em julho do mesmo ano, foi realizado o 1° Campeonato de Artes Marciais. Teve demonstração de *nague no kata*, pelo senhor Naito (*uke*) e pelo 5° dan Zensaku Yoshida (*tori*), e de *kime no kata*, pelo senhor Naito (*tori*) e pelo 3° dan Tomio Tomita (*uke*).

Foram realizadas lutas individuais e por equipes divididas em *kou* e *otsu*[1]. O senhor Naito participou como vice-capitão do time *kou*, e ficou empatado com o 2º dan Sawada do time *otsu*; na luta individual, enfrentou o 3º dan Sadai Ishihara, vencedor na segunda rodada, e foi derrotado com o golpe *seoi-nague*. Ele participou também do 2º Campeonato, sendo, desta vez, derrotado pelo senhor Ono com um contragolpe. Neste campeonato, o senhor Ono sagrou-se campeão.

Pelo que eu pude sentir, acredito que o senhor Naito era um verdadeiro cavalheiro e um esportista *fair play*. Na Universidade Estadual da Pensilvânia, ele aprendeu o verdadeiro espírito desportivo e demonstrou gostar realmente das técnicas de combate. Dizem que, na Faculdade Kagoshima Koutou Nôrin, criou o clube de sumô e lutava incessantemente. Seu nome de sumô era Yamahoko Issei.

O senhor Okochi e o senhor Naito têm uma diferença de três anos de idade entre eles, sendo o senhor Naito mais novo. O senhor Okochi era chefe dos juízes.

Eu também rodei bastante como técnico de judô pelas linhas da estrada de ferro Central, Alta Paulista, Sorocabana e Noroeste, e, em cada lugar, contaram-me muitas histórias do senhor Naito.

Soube que o senhor Naito desmatou a montanha detrás de sua casa, onde ergueu um barraco com parede de barro e cobertura de sapé; cobriu o sapé com uma lona e construiu uma academia, na qual deu orientação de judô aos filhos de imigrantes da colônia de Suzano, três vezes por semana das dez horas da noite até a meia-noite, sem cobrar mensalidade, durante 36 anos. O nome da academia era Academia Suikai, e conta-se que a caligrafia artística presente na placa foi feita pelo senhor Jiro Nangou, segundo diretor da Kodokan. Atualmente, esta placa está preservada na academia da Federação de São Paulo. Eu tive oportunidade de vê-la.

Simultaneamente ao início da guerra entre Japão e Estados Unidos, a Confederação Brasileira de Judô e Kendo recebeu ordem de disso-

---

[1] Como as cores do Japão são o vermelho e o branco, sempre que se dividia dois times, um era o *kou* (vermelho) e o outro o *otsu* (branco). (N.R.T).

lução das autoridades governamentais. Durante certo tempo, seguiu-se um vácuo, após o qual, tendo ultrapassado o período de confusão entre os *kachigumi* (vitoristas) e os *makegumi* (derrotistas), foi realizado o torneio de comemoração da inauguração da academia reformada Academia Suikai, de Suzano, em 1948.

Graças ao trabalho e à colaboração financeira de alunos de judô, associações japonesas e associações de moços existentes ao longo da Estrada de Ferro Central, que estimavam o senhor Naito, foi construída uma excelente academia de 240 tatamis, munida de janelas e paredes totalmente brancas. A equipe E. F. Central daquela época era de longe muito forte. A fim de evitar o tricampeonato da equipe E. F. Central, o senhor Okochi de São Paulo reuniu a nata de todo o Brasil. Com Fukaya, Tani, Shiro Endo e Benichi Egoshi, ele conseguiu afinal deter o avanço da linha E. F. Central. Era para impedir que o símbolo do Campeonato Brasileiro de Judô e Kendo, o estandarte da vitória presenteado pelo cônsul geral, não ficasse definitivamente nas mãos da linha E. F. Central em função de três vitórias consecutivas.

Conforme a narração do senhor Katsuhiro Naito, o senhor Okochi e o senhor Naito eram muito amigos. Respeitavam-se mutuamente como judocas e esportistas. Entretanto, as pessoas que os apoiavam é que andaram caluniando-os e romperam a amizade dos dois.

Em 1953, foi criada a Associação Brasileira dos Faixas Pretas de Judô e o senhor Naito ocupou a cadeira de presidente. Naquele ano, uma missão japonesa de judô enviada pela Kodokan e liderada pelo 8º dan Takagaki veio ao Brasil. Realizou demonstrações e orientação itinerante no interior de São Paulo. Com a promoção do 8º dan Takagaki, os grupos da escola Kodokan, os do Ogawa Budô e os dos irmãos Ono, que até então estavam dispersos, se reuniram no restaurante Tokiwa situado no velho mercado para deliberar sobre a união do judô brasileiro.

"Que tal esquecermos o passado e recomeçar?" A essa proposta do senhor Naito, o grupo Okochi rebateu: "Não podemos nos unir com o pessoal que lutava por dinheiro, com boxe, luta livre ou jiu-jitsu e apresentava espetáculos, ou seja, não aceitamos de forma alguma o grupo de

Ono." Devido a essa postura radical, a reunião se dividiu e a aliança do judô brasileiro sofreu um atraso de quinze anos.

Em 1958, foi reconhecida oficialmente a Associação Brasileira dos Faixas Pretas da Kodokan presidida pelo senhor Okochi, e o senhor Naito acabou ficando de fora. A partir de então, o senhor Naito não participou mais publicamente das arenas do judô paulista. Apesar disso, aos 63 anos, ele não parou de vestir o *judogui* e dar orientações.

O senhor Naito era do tipo que não possuía a mínima ambição pela fama ou habilidade, prevenindo seus familiares a não contar aos outros sobre seu currículo de medalhista olímpico ou sobre sua formação na Universidade da Pensilvânia dos EUA. Talvez alguns levantassem uma suspeita infundada, perguntando-se por qual razão uma pessoa com fluência em inglês e com formação em uma famosa universidade americana viria a São Paulo para ser agricultor, em vez de realizar algum empreendimento e ficar rico.

Eu, ao contrário, sinto que vislumbrei a verdadeira natureza de um esportista na forma de viver do senhor Naito.

Um verdadeiro esportista não se preocupa com pequenas coisas e não consegue ser diplomático, inábil, inflexível, sempre levando desvantagem. Quanto mais ele se esforçava, menos era recompensado, sendo sempre passado para trás, derrubado. Foi alguém que sempre precisou caminhar solitário com grande dificuldade. Sempre fez o bem aos outros, foi traído e sofreu. Em maio de 1969, foi conferido o 7º dan da Kodokan ao senhor Katsutoshi Naito. E na manhã do dia 27 de setembro do mesmo ano, faleceu serenamente. Na carta que sua esposa Chiyoko escreveu ao senhor Miyasawa, ela dizia: "Tanto o desbravamento da Amazônia como a Associação dos Faixas Pretas ou o incidente da Cooperativa Agrícola de Mogi, todo esforço que ele fez pensando no bem das pessoas e da sociedade teve resultado negativo".

O encontro com o senhor Miyasawa e os motivos para escrever este livro

Enquanto escrevia esse texto sobre o senhor Naito, surgiu a história de um jornalista freelancer, o senhor Masayuki Miyasawa. Gostaria de deixar registrada a razão de eu ter escrito o artigo original de "Pioneiros do judô brasileiro" (Capítulo I) na minha coluna dominical do jornal *Nippaku Mainichi Shimbun*.

Uma simples palavra do senhor Miyasawa foi o estopim.

Tudo começou na ocasião que visitei o Japão a convite especial da Kodokan, como benemérito de judô no exterior. No salão, o senhor Miyasawa me disse o seguinte: "No mundo do judô brasileiro não há um registro documentado. Apesar de existir o registro do resultado individual de cada luta, não há uma avaliação exata em relação aos inúmeros beneméritos de judô já falecidos. Mesmo que exista a documentação da história da colônia *nikkei*, que estará completando 90 anos desde a chegada do navio Kasato Maru, é preciso deixar o registro de numerosas contribuições de pioneiros que radicaram o judô no solo brasileiro, abriram academias e criaram medalhistas olímpicos."

Desde então, continuei o contato com o senhor Miyasawa. Uma vez que em uma carta enviada pelo senhor Miyasawa de 07 de setembro de 1996 há um valioso perfil do judô brasileiro, pedi permissão para reproduzi-la aqui.

Carta do senhor Masayuki Miyasawa

Há cerca de quatro anos, recebi o convite do senhor Chiaki Ishii, a quem admiro muito, para escrever algo a respeito do veterano Katsutoshi Naito. Imagine! Estou lendo os artigos da publicação em série do senhor Ishii que me são enviados via fax, o que já é suficiente. Mas será que não tenho nada mesmo para escrever? Pensando bem, algo me incomoda. Já que é uma oportunidade valiosa, vou me permitir escrever um pouco.

O fato de eu estar empenhado na pesquisa sobre o senhor Katsutoshi Naito é uma realidade e isso corresponde exatamente ao que é relatado pelo senhor Ishii na coluna do jornal *Nippaku Mainichi Shimbun*. Entretanto, da mesma forma que o senhor Ishii não conhece pessoalmente o senhor Naito, há certa irracionalidade na minha pretensão de escrever sobre o senhor Katsutoshi Naito, morando aqui do outro lado do mundo. Pode resultar em um relato equivocado. Na edição de nº 217 da revista *Bessatsu Bunguei Shunju*, sob o título "A remota Universidade Estadual de Pensilvânia", escrevi sobre a vida do senhor Katsutoshi Naito e cometi algumas falhas. Por exemplo, o senhor Chiaki Ishii imigrou antes do senhor Shuhei Okano, entretanto eu escrevi que era o inverso. Não foi apenas um equívoco. Estou profundamente arrependido pela minha falta de seriedade na reportagem. Na próxima vez que for publicar os meus trabalhos em livro, pretendo corrigir todos os enganos cometidos até agora.

Para começar, aconteceu um fato quando publiquei pela primeira vez um artigo sobre o senhor Katsutoshi Naito com o título "Certo japonês admirado pelo Konishiki", na edição de outubro de 1987 da revista mensal *Bunguei Shunju*. Recebi uma carta do meu colega da faculdade, o senhor Keinosuke Adachi (chefe de escritório da filial brasileira da Universidade Takushoku e chefe de escritório da Liga de Judô Estudantil nos tempos estudantis), que morava em São Paulo; acontece que, dentro do envelope, havia a cópia do meu artigo com indicação de erro, juntamente com um texto em vermelho e a seguinte mensagem: "Foi apontado um erro com caneta vermelha por um veterano idoso da associação local de faixas pretas, o senhor Ryuzo Akao".

Na página 308, estava escrito: "Mesmo assim, após a Segunda Guerra Mundial, por recomendações, o senhor Naito desempenhou o cargo de presidente da Associação dos Faixas Pretas dos Nikkeis". Em contrapartida, o texto em vermelho do senhor Akao era o seguinte: "Esforçou-se no cargo de chefe de departamento de judô da Associação de Judô e Kendo da linha E.F. Central, organizada pelos grupos de japoneses residentes no entorno da linha E.F. Central (estrada de ferro entre Rio de Janeiro e São Paulo). Entretanto, essa associação tomou atitudes contrárias à Kodokan, ligando-se ao Butokukai, e começou a emissão de graduações sem licença. Contudo, o seu filho Katsuhiro aprendeu com o 6º dan Fukaya, da escola Kodokan". Pensei bastante e, refazendo a pesquisa, descobri que realmente havia sido um erro deste autor; o senhor Katsutoshi Naito não tinha sido presidente da Associação dos Faixas Pretas da Kodokan. Foi esclarecido que o senhor Katsutoshi tinha sido presidente da Confederação Brasileira de Judô. Este engano ocorreu devido à ignorância do complexo relacionamento humano da localidade.

Assim, em fevereiro de 1990, pela primeira vez, pisei no solo brasileiro como enviado da Fundação Japão (especialização em esportes), quando encontrei com o ancião Akao e conheci as atitudes de indiferença, tais como "o senhor Naito é anti-Kodokan e *kachi-gumi*", ou até de negação da existência da Confederação Brasileira de Judô. Dias depois encontrei também com o ancião Takeshi Kunii, mas as palavras deste não foram tão duras quanto às do senhor Akao.

Depois disso, em 1993 consegui permissão para acompanhar a visita de amizade nipo-brasileira da Confederação Japonesa Empresarial de Judô (Koremasa Anami, era chefe do grupo) e vim novamente ao Brasil. Nessa viagem, a família Naito me ofereceu o precioso diário do senhor Katsutoshi e, como resultado de sua pesquisa, pude deduzir que, de fato, o senhor Naito havia sido vítima de uma grande distorção da verdade por parte do grupo do senhor Akao. O ancião Okochi era um atuante empresário em São Paulo, por outro lado, o senhor Katsutoshi Naito era dono de uma academia da interiorana Suzano e não passava de um simples agricultor. Contra o senhor Naito, que recebeu o estigma de líder do movimento anti-Kodokan, veio o senhor Kihara 7º dan da Kodokan. O 7º dan fora outorgado extraordinariamente em função da visita ao Brasil, sendo, portanto superior ao senhor Katsutoshi Naito que havia permanecido como 6º dan. O senhor Kihara era detentor de uma razão justa para promover a unificação do judô no Brasil. Contudo, eu gostaria de saber a identidade do senhor Unno, 6º dan, que, nessa ocasião, nos acompanhou até Suzano. Parece que é da província de Shizuoka. No diário do senhor Naito, está registrado que enviou um questionário ao chefe da academia Risei Kano da Kodokan perguntando sobre quem se tratava o senhor Unno. Segundo minha dedução, acredito que o comportamento do Unno, 6º dan, devia ser realmente péssimo.

Quero descobrir a verdade... Ainda hoje reúno minuciosamente o material para a biografia *A pesquisa de Katsutoshi Naito* que não sei quando será publicada. Porém, não pode haver decisão arbitrária e preconceituosa. Espero ser imparcial na medida do possível. Para tanto, solicitei a colaboração do senhor Ishii e, nesta primavera, escrevi uma carta ao professor Masaru Yanaguimori, de Osasco, expressando o meu desejo de obter depoimentos de pessoas que saibam mais sobre o professor Naito. Apesar de ser uma pessoa ocupada, o professor Yanaguimori me enviou uma resposta através do senhor Hisanobu Ishii, da agência de viagens Brasvia. Consegui o endereço das seguintes pessoas: senhor Tokio Mao, de Niterói (piloto da marinha japonesa), professor Sadai Ishihara, de Assaí, e professor Yukichi Kimura, de Mogi das Cruzes. Mas ainda não entrei em contato com eles. Se acaso um dos professores citados tiver a oportunidade de ler esta coluna, peço para avisar o senhor Chiaki Ishii, seja através de carta ou por telefone (sobre verdades e episódios da vida do senhor Katsutoshi Naito). Creio que poderei conseguir depoimentos valiosos.

Em seguida, no fax enviado pelo senhor Chiaki Ishii, constava que obtivera resposta do interior através de um telefonema, por isso gostaria imensamente que o senhor Ishii transmitisse o recado ao Miyasawa.

Peço desculpas por ter tomado grandes proporções, entretanto a publicação em série "Pioneiros do judô no Brasil", escrita pelo senhor Chiaki Ishii começa a esclarecer, pela primeira vez, a vida de antecessores que eu desejava conhecer há muitos anos. A vibrante redação do senhor Ishii parece espetacular, como se fosse fotografia animada. Eu também me encontro em meio à reflexão, pensando se não ficaria mais interessante mudar a concepção para "Katsutoshi Naito e os antecessores do judô brasileiro", em vez de "Pesquisa sobre Katsutoshi Naito".

Se souber de algo a respeito de registros ou fotografias de antecessores do judô brasileiro, peço a gentileza de entrar em contato com o senhor Chiaki Ishii.

Além disso, durante a publicação desta coluna, descobri que havia alguém que ensinava judô e jiu-jitsu no Brasil, antes da chegada do navio Kasato Maru. Essa pessoa era Manji Takezawa e sabe-se muito pouco sobre ele. Conta-se que é de origem da classe de samurais da ilha de Shikoku, mas se desconhece de qual feudo. Acredita-se que tenha cruzado o oceano na companhia de muitos artistas que saíram do Japão rumo à Europa durante a Restauração Meiji. Entrou para um grupo teatral e parece que fazia demonstrações de lutas usando o judô.

Em torno de 1870, quando se encontrava na França, conheceu um nobre brasileiro que demonstrou interesse pelo judô e o convidou para vir ao Brasil, o que aconteceu quando retornava a este país.

Uma vez no Brasil, este nobre apresentou-o ao imperador D. Pedro II, a quem ele fez demonstração das técnicas de judô; o imperador também ficou admirado e o nomeou professor de *budô*[2] da guarda imperial. Estava levando uma vida requintada no Rio de Janeiro, entretanto, com a proclamação da República em 1889, perdeu o emprego. Posteriormente, por sugestão dos artistas que costumavam frequentar o palácio imperial, criou o Circo Imperial Japonês e apresentou espetáculos em várias regiões do Brasil e até na Argentina.

Parece que o relacionamento com os nipônicos era muito escasso no Brasil, tanto que em 1906, logo depois que a empresa comercial Fujisaki abriu uma loja em São Paulo, Manji foi visitá-la e indagou se o Imperador Meiji estava bem de saúde. Além disso, sabe-se apenas que em 1916 ele visitou o amigo Tsuneshiro Ishibashi, em Uberaba, no Estado de Minas Gerais. Segundo consta, faleceu em 1918.

Casou-se no Brasil, teve sete filhos, sendo quatro homens e três mulheres. Dentre os filhos, pelo menos Ramon, o mais velho, trabalhava no circo, mas, ao que parece, ficou doente e se suicidou. É tudo o que sabemos, por isso se alguém souber de mais alguma coisa, gostaria que me relatasse.

O senhor Masayuki Miyazawa nasceu em 1930 na província de Kanagawa e residia em Tóquio. Foi jornalista do setor de esportes do jornal *Nikkan Sport* e jornalista esportivo do Japão. Compilou o livro comemorativo de 100 anos da Universidade Takushoku e é autor dos ar-

---

[2] Arte marcial. (N.R.T.)

tigos "A vida do medalhista fantasma Katsutoshi Naito", "Certo japonês admirado por Konishiki", "Olimpíadas de Tóquio (nº 8): o dia em que a especialidade do Japão, o judô, foi derrotada", entre outros.

SOBEI TANI E SEISETSU FUKAYA

Em 1956, foi criado o Prêmio Paulista de Esportes pelo *Jornal Paulista*. O judô passou a ser contemplado a partir da terceira edição. A Associação dos Faixas Pretas da Kodokan recebeu uma solicitação da empresa jornalística para sugerir a participação daquele ano.

O primeiro laureado da categoria judô foi o senhor Masayoshi Kawakami, da Budokan. O senhor Tatsuo Okochi foi o premiado da quarta edição do Prêmio Paulista e o senhor Lhofei Shiozawa recebeu o prêmio da quinta edição. Neste capítulo, gostaria de escrever sobre os senhores Soubei Tani e Seisetsu Fukaya, detentores, respectivamente, do 8º e do 12º Prêmio Paulista de Judô.

Eles podem ser considerados os verdadeiros pioneiros do atual judô brasileiro. Os dois são totalmente opostos, pois, enquanto o senhor Tani é de pequena estatura, o senhor Fukaya tem porte avantajado. Em relação à origem, o senhor Tani é natural de Kyushu, ao sul do Japão, e o senhor Fukaya nasceu em Tohoku, nordeste do país. O senhor Tani aprecia saquê, e o senhor Fukaya não bebe. O senhor Tani é loquaz e hábil em trabalhos manuais, ao passo que o senhor Fukaya é do tipo calado e não tem habilidades manuais. Totalmente contrários, eles viviam brigando, mas eram amigos inseparáveis. Eram, respectivamente, da primeira e da segunda turma de estagiários agrícolas da Fazenda M'Boi, na estrada do M'Boi Mirim, fundada antes da guerra pela empresa Kaigai Kogyo. O senhor Tani era sete anos mais velho e, pelo fato de ambos terem sido estagiários da M'Boi, costumava se comportar como um irmão mais velho.

Os dois participaram do 1º Campeonato Brasileiro de Judô e Kendo. Ambos eram 2º dan. Os dois saíram vitoriosos nas três primeiras rodadas e se classificaram para a decisão. O outro finalista era o 3º dan Teii Ishihara. Na luta entre Tani e Fukaya, a decisão do árbitro deu vitória a Fukaya. Entre Ishihara e Fukaya, o corpanzil de Fukaya rodopiou nos ares como uma bola de fogo com o *seoi-nague* de direita de Ishihara. Quanto ao combate entre Ishihara e Tani, por serem ambos de estatura pequena, o *seoi-nague*, uma das habilidades de Ishihara, não foi eficaz contra Tani e a luta terminou em empate. O resultado foi Ishihara como campeão, Fukaya em segundo lugar e Tani em terceiro. O vencedor Ishihara estabeleceu-se em Assaí, no estado de Paraná, onde fundou uma academia e se dedicou ao desenvolvimento da colônia *nikkei* daquele estado, sendo chamado de pai do judô paranaense.

Sobei Tani

O senhor Soubei Tani nasceu em 23 de novembro de 1908, na cidade de Futsuka, província de Fukuoka. Formou-se no colégio público de Fukuoka, fez cursinho para a Faculdade de Economia da Universidade Keio, entrou nela, mas consta que não chegou a concluir. Em relação ao judô, treinou no clube de judô da Universidade Keio e obteve o 2º dan. O fato de um interiorano frequentar cursinho para Keio, naquela época, indica que a família Tani deveria ser extremamente abastada e tradicional da região, entretanto o próprio senhor Tani nunca disse nada a esse respeito.

Ele veio ao Brasil em 1932 no navio La Plata Maru e entrou na primeira turma de estagiários agrícolas da Fazenda M'Boi. Aprendeu a avicultura e se dedicou à pesquisa de criação de aves. Em 1934, se casou com Mineko Mamizuka. O pai da noiva era o senhor Takezo Mamizuka, imigrante da mesma província de Fukuoka, e conhecido como primeiro desbravador japonês da periferia de São Paulo. O senhor Mamizuka também praticava o judô e foi a primeira pessoa a fundar uma academia de tal arte no bairro da Liberdade. A construção dessa academia foi financiada pelo senhor Shuhei Uezuka, conhecido como o "pai da imigração".

No ano de 1940, paralelamente à atividade agrícola que exercia em Perus, na periferia de São Paulo, Sobei abriu uma academia onde orientava os filhos de *nikkeis*. Em 1943, mudou-se para a colônia de imigração Jaraguá, onde atuou como professor de língua japonesa durante quinze anos e, ao mesmo tempo, fundou a Academia Jaraguá nos fundos do quintal e ensinou judô aos filhos de imigrantes. Naturalmente, não cobrava mensalidade, obtendo seu sustento da atividade avícola. Durante os seus três anos em Perus e 25 anos em Jaraguá, totalizando longos 28 anos, ensinou judô, renunciando deliberadamente ao sucesso. Antes e depois da guerra mundial, sem se abater com inúmeras dificuldades e situações adversas, conservou seus princípios e formou vários excelentes atletas de judô no Brasil, fato narrado como uma das belas páginas da história do judô brasileiro.

É incontável a quantidade de vitórias individuais e coletivas da Academia Jaraguá nos campeonatos brasileiros de judô e kendo. Dentre seus alunos, temos o 4º dan Hidenobu Shiozawa, considerado especialista em *ne-waza*, o 7º dan Lhofei Shiozawa, que venceu nos Jogos Pan-Americanos e participou dos Jogos Olímpicos de Tóquio e de Munique, o 4º dan Fumio, seu próprio filho, os irmãos 4º dan Hideo e 5º dan Kouki, o 2º dan Minoru Ito, o 3º dan Kakuro Ito, o 2º dan Seinosuke Kunitake e o 2º dan Kenjiro Kurihara, todos eles atletas fabulosos que foram campeões ou vice-campeões nas competições nacionais. O fato de ter surgido tantos campeões e judocas em uma pequena comunidade de imigrantes de apenas 24 a 25 famílias se deve tão somente ao entusiasmo, caráter e um método extraordinário de orientação do senhor Tani.

Eu mesmo visitei a Academia Jaraguá em várias oportunidades. Na ocasião em que foi decidida a participação do senhor Lhofei Shiozawa nos Jogos Olímpicos de Tóquio, recebi a incumbência de treiná-lo e fiquei hospedado cerca de duas semanas na residência do senhor Tani e do senhor Shiozawa.

O senhor Tani e sua esposa acordavam às cinco horas da manhã para alimentar as galinhas. A família Shiozawa cultivava cenouras. Ao lado de suas atividades familiares, à noite se reuniam na academia do senhor Tani e treinavam com bastante afinco. Naturalmente, era uma época em que não havia televisão nem energia elétrica. A vida se passava debaixo de lampiões e postes de iluminação a gás.

Eu senti que havia visto a verdadeira origem do judô brasileiro naquele lugar. Oh, graças a esse mestre, existem esses alunos! É realmente um modo de viver maravilhoso! Em quatro ocasiões, um atleta da Academia Jaraguá recebeu o Prêmio Paulista de Esportes na categoria de judô.

O senhor Tani adorava beber pinga. Sua esposa faleceu e ele se casou novamente. Nos últimos anos de sua vida, vinha frequentemente a São Paulo e costumava beber no restaurante Miyoshi, administrado pelo professor Kihara. O senhor Tani estava grisalho, usava óculos e sempre ostentava um ar tristonho.

No dia 11 de junho de 1971, ele faleceu de câncer no pâncreas. Podemos dizer que foi o chefe de samurais da colônia paulista.

Seisetsu Fukaya

Quanto a outro chefe de samurais, temos o senhor Seisetsu Fukaya, seu nome harmoniza-se totalmente com o seu modo de viver. Nasceu no dia 13 de janeiro de 1915, na cidade de Sukagawa, província de Fukushima. Formou-se na Escola Agrícola Iwase da província de Fukushima em março de 1932 e, em agosto do mesmo ano, veio ao Brasil no navio Buenos Aires Maru, na segunda turma de estagiários agrícolas da Fazenda M'Boi.

2º dan na época, possuía um feito extraordinário de ter participado do campeonato Meiji Jingu como representante da província de Fukushima. Naquele tempo, um 2º dan da Kodokan podia atuar como um digno instrutor de judô nas regiões interioranas. Estagiou durante um ano na Fazenda M'Boi e passou mais um ano na Fazenda Anhumas administrada diretamente pela empresa KAIKO.

Em janeiro de 1936, lançou a revista mensal *Nogyo no Brasil,* em São Paulo, e empregou-se no setor de redação. Em 1938, começou a trabalhar na Casa Tozan, onde permaneceu até a eclosão da Segunda Guerra Mundial. Nesse meio tempo, ajudou o professor Okochi como orientador principal do departamento do judô da Associação Brasileira de Judô e Kendo, treinando principalmente os jovens.

Em 1942, recebeu um convite para ensinar judô na Associação Cultural e Esportiva Piratininga e no Clube Jaguaribe em São Paulo e treinou um grande número de brasileiros. Posteriormente, abriu uma academia no bairro da Liberdade (local onde hoje existe a academia de Kyokushin Karatê) e fez uma ampla divulgação do judô entre os brasileiros.

Quando imigrei para o Brasil, a academia do senhor Fukaya ainda se encontrava nesse lugar. Sorria sem graça, dizendo que o local era comprido tal qual a cama de uma enguia. Tinha porte muito avantajado para um japonês daquela época. Seu peso e altura não diferiam muito do meu. Usava claramente o dialeto de Fukushima, e os olhos finos ao fundo de seus óculos eram muito suaves e bondosos. Cuidava zelosamente da Liga Estudantil de Judô e, na ocasião da Universíada[1] de Tóquio, realizada em 1967, conduziu os atletas como chefe da equipe brasileira. Nesse torneio, Mateus Suguisaki, peso-leve, e Haruo Nishimura, peso-médio, se classificaram em terceiro lugar, conquistando a medalha de bronze para o Brasil. No Campeonato Mundial Estudantil de Judô realizado a seguir em Portugal, o mesmo Mateus Suguisaki conquistou a primeira medalha de ouro do Brasil.

Entre os alunos do senhor Fukaya destacam-se Alcenis Costa Martins (advogado), que foi o primeiro a receber diploma de 5º dan da Kodokan na América Latina, e Durval Costa Martins (chefe da penitenciária do Estado de São Paulo). Chamados de o "Manso" (Alcenis), e o "Valente" (Durval), ambos impingiram muitas dificuldades à missão japonesa de judô que esteve no Brasil em 1953, composta pelo 6º dan Yoshimatsu e 5º dan Oozawa, liderada pelo 8º dan Takagaki.

---

[1] Campeonato mundial universitário. (N.R.T.)

Com boa postura, Alcenis e Durval enfrentavam de frente e atacavam com *uchi-mata e osoto-gari*. O judô de ambos recebeu elogios do 8º dan Takagaki e eles foram agraciados com o 5º dan. Naquela época, no judô brasileiro o primeiro lugar vivia sendo disputado entre os irmãos Kawakami e os irmãos Yamamoto da filial da Freguesia do Ó, da escola Ogawa Budokan que estava em ascensão, e Martins e Durval da Academia Fukaya. Em especial, as inúmeras lutas acirradas entre Martins e Masayoshi Kawakami são famosas. No início, Martins sempre ganhava a luta, mas Kawakami, forte na defesa, aos poucos superou as técnicas de Martins, saindo vitorioso nos campeonatos brasileiros de judô e kendo de 1956 e 1957.

Em 1953, a pedido da Embaixada Japonesa do Chile, o senhor Fukaya visitou a cidade de Santiago em companhia do seu aluno Martins. Fez uma apresentação de judô em diversas localidades e realizou esplêndidas demonstrações, recebendo mensagens de agradecimento do governo chileno e do embaixador Narita, da embaixada japonesa.

Dessa forma, auxiliando o senhor Okochi e atuando como figura central da Associação dos Faixas Pretas da Kodokan, o senhor Fukaya sempre batalhou na linha de frente dos ataques do Ogawa Budokan e da Academia Ono.

Os dois destaques da escola Kodokan da época eram a Academia Tani de Jaraguá e a Academia Fukaya. Além destes, perto do professor Okochi ficavam Ryuzo Akao (funcionário do Consulado Japonês em São Paulo), Taishi Yoshima (Fazenda Tozan) e Takeshi Kunii, mas, como eles não se relacionavam diretamente com o judô, não possuíam alunos. O professor de judô tem sua fama aumentada ao criar muitos atletas fortes entre seus alunos. Por mais que tenha sido forte no passado, se não tiver criado nenhum atleta internacional, nada se pode dizer dele. É análogo ao que acontece no Japão, onde a apreciação de Nobuyuki Sato, que treinou Yasuhiro Yamashita, é superior ao do gênio Isao Okano.

Judô, antes e agora

Costumam me questionar: "O judô era mais forte no passado do que hoje?". Tenho a impressão de que a qualidade do judô, da postura *waza* era muitas vezes superior no passado. Para começar, o volume de treino era diferente. Além disso, como não havia distinção de categorias, para uma pessoa pequena vencer uma grande precisava treinar duas ou três vezes mais.

Pessoas como o mestre Mifune ou o professor Kotani não se importavam de passar o dia todo usando *judogui*.

Seja como for, atualmente existem combates em demasia. Além da necessidade constante de regular o peso, o método normal de treino, que serviria para pesquisar profundamente a natureza dos golpes, acaba se tornando tão somente uma preparação para a próxima luta. Acaba sendo treino de obediência às regras com objetivo de vencer.

Antigamente não havia televisão e poucas eram as diversões, de forma que era possível se dedicar completamente ao judô. Pode-se vislumbrar esse fato observando o treino da Academia Tani. Uma vez que não há nada para fazer à noite, todos se reúnem e, enquanto lutam, pesquisam as técnicas. Derramam suor todos os dias, sem se importar se é sábado ou domingo. Atualmente, os atletas de nível internacional precisam voar de um lado para outro acossados pelos combates.

Antigamente, também era possível se concentrar unicamente no campeonato brasileiro, entretanto atualmente existem os jogos eliminatórios de campeonato sul-americano, de Jogos Pan-Americanos, de campeonato mundial, campeonato europeu, Taça Kano, Taça Shoriki, campeonato coreano, campeonato italiano etc., podendo contabilizar, aproximadamente, mais de trinta torneios internacionais. Além disso, o sistema de *ranking* atual impede o lutador de participar das Olimpíadas, caso não consiga obter bons resultados nessas competições. Por isso, os atletas precisam se esforçar como se fosse caso de vida ou morte. Além do mais, atualmente é possível vencer sem aplicar *ippon*, mas utilizando as regras do esporte, levando, por exemplo, o adversário a violar a regra e sofrer penalidade, ou empurrando-o habilmente para fora do tablado, ou fazendo o oponente tocar o joelho sem querer. Com isso, são poucos os atletas que se lançam ao combate frontal como no passado. Para aplicar o *ippon* no adversário, é preciso correr riscos, como diz o provérbio "não poderá capturar o filhote de tigre sem entrar na sua toca", ou seja, para obter grandes resultados, é preciso se aventurar com coragem. Na verdade, aqui está a estranheza do jogo. Aquela determinação de aplicar o *ippon* a qualquer custo para vencer a luta acabou se perdendo por causa das regras atuais, aumentando tão somente o número de atletas que pesquisam meticulosamente as regras para vencer por pontos.

Da mesma forma, o brasileiro Aurélio Miguel conquistou a medalha de ouro nos Jogos Olímpicos de Seul sem *ippon*, ou seja, a luta passou a ser decidida pelas regras e pela arbitragem. É por isso que os fãs de judô, frustrados com o judô atual, estão correndo para algo como o vale-tudo do jiu-jitsu de Gracie, que leva o combate à decisão. Isto é, migraram para um tipo de luta que possui a severidade de *budô*, combatendo até que um dos lutadores desista. Nas academias da cidade, notam-se mais placas de jiu-jitsu do que as de judô.

Acabei fugindo do assunto, mas o que eu quero dizer é que no passado o judô era mais forte.

Antes de 1978, o senhor Fukaya foi acometido por um câncer de língua que se estendeu para câncer de garganta e, apesar de ter sido operado em São Paulo, seu estado de saúde não estava bom e decidiu regressar ao Japão. Em 1978, voltou ao Japão acompanhado de sua esposa Satsuki e foi submetido a três cirurgias (a doença se alastrara para o intestino) no Hospital Tsuboi, da cidade de Kooriyama, província de Fukushima, administrado pelos parentes de sua mulher. Estava convalescendo, mas, em 14 de novembro de 1983, seu estado se agravou repentinamente, vindo a falecer naquele hospital. Sua dedicação e sua colaboração na divulgação do judô brasileiro foram reconhecidas pela Kodokan, que lhe atribuiu o 7º dan.

Ao conhecer o modo de viver do senhor Tani e do senhor Fukaya, a palavra "pobreza honesta" se adéqua perfeitamente a ambos. Existe um provérbio que diz "apesar de não ter comido nada, o samurai palita os dentes orgulhosamente" e é exatamente isso. Os dois faziam lembrar os antigos samurais; para onde quer que fossem, iam juntos, percorrendo as várias regiões de São Paulo e do território brasileiro a fim de divulgar o judô. Eles não tinham vindo ao Brasil como especialistas de judô, mas, por gostarem desse esporte, haviam praticado um pouco no Japão, o que lhes foi útil para acabar lidando com ele no Brasil. Se tomassem outro rumo, talvez tivessem levado uma vida mais confortável e plena mesmo em termos financeiros.

Por apreciarem o judô, acabaram dedicando toda sua existência em prol desse esporte. Enquanto atleta, o judoca é feliz, pois onde quer que vá é bem recebido e paparicado. Contudo, o judô também é um tipo de arte. No dia em que o corpo não mais obedecer e não puder mais praticar essa arte, ninguém voltará os olhos para ele. A academia perderá alunos, e no final da vida, se verá às voltas com dificuldades financeiras.

Todos os judocas sobre os quais escrevi até agora, com exceção do senhor Okochi, não passaram por sofrimentos nos últimos anos de suas vidas? E tudo é ainda mais difícil porque possuem a fama do passado. Apesar disso, os dois nunca deixaram transparecer a sua situação de pobreza na nossa frente. Foram verdadeiramente pessoas dignas.

De hoje em diante, eu também desejo me espelhar no exemplo deles e viver pobre e honestamente, ainda que seja só por orgulho.

YOSHIO KIHARA

Introduz a origem do judô, o *kata*

O senhor Kihara recebeu a 18ª edição do Prêmio Paulista de Esportes.

O Prêmio Paulista é outorgado em anos alternados ao atleta em atividade e ao benemérito, cujos nomes são sugeridos pela Associação dos Faixas Pretas da Kodokan. Caso em determinado ano um atleta em atividade que se destacou receba o prêmio, no próximo ano será escolhido um nome entre os beneméritos.

Quem recebeu o prêmio duas vezes, até agora, foram somente eu (Chiaki Ishii) e Lhofei Shiozawa. Pais e filhos laureados são: Sobei Tani (8ª) e Koki Tani (11ª); Chiaki Ishii (15ª e 17ª), Tânia Chie Ishii (33ª) e Vânia Yukie Ishii (45ª); Matsuo Ogawa e Hatiro Ogawa (23ª); Luiz Shinohara (23ª) e Massao Shinohara (32ª).

Ao analisar os rostos premiados da categoria judô do Prêmio Paulista de Esportes, compreende-se bem a corrente que liga o antes e o pós-guerra do mundo de judô. Todos são rostos saudosos e muitos já falecidos.

O mérito do 8º dan Yoshio Kihara, que atuou como autoridade do judô brasileiro de pós-guerra, deve ser escrito com destaque especial.

O senhor Kihara foi quem introduziu no Brasil o verdadeiro *kata* do judô da Kodokan.

O judô não se trata apenas de treino livre ou lutas. Para conquistar a faixa preta, é preciso primeiramente dominar o *nague no kata* e o *katame no kata*. Para ser um *kodansha* (acima de 6º dan) é preciso dominar os inúmeros e complexos *katas*, tais como a técnica de defesa do Kodokan, *ju no kata, kime no kata, koshiki no kata, itsutsu no kata*, e só então é permitido abrir uma academia.

Antigamente (antes da guerra), havia uma escola especializada de *budô* (Busen) em Kyoto. Os formandos dessa escola aprendiam todas as formas de *kata* e podiam ser professores em qualquer localidade. Em Tóquio, os formandos de Koutou Shihan Gakko (atual Universidade Tsukuba) podiam ser dignos professores de judô onde quer que fossem. Entretanto, os graduados do curso de judô das universidades particulares como Waseda, Keio, Meiji, podiam ser atletas, mas não professores. Isso se deve ao seguinte fato: durante os quatro anos em que os alunos destas universidades particulares lutam representando suas escolas, são quase máquinas de combate com finalidade única de lutar, e se concentram somente em derrotar o adversário aplicando o maior número de golpes, em vez de aprender o *kata* e as trabalhosas técnicas de defesa. Não me lembro de ter ouvido falar que se ensinava *kata* nos clubes de judô das faculdades. Exercícios de aquecimento, treino de *uchi-komi* e luta, passavam os valiosos quatro anos fazendo exclusivamente isso.

No segundo ano da faculdade, obtive dez pontos numa luta comum e fui me submeter ao teste de *kata*. Repentinamente, o professor Takagui pediu para eu demonstrar o *masutemi-waza*; ao executá-lo, ele me disse: "Reprovado. Venha novamente no próximo mês". E assim voltei para casa, cabisbaixo. Ao contar para o capitão Yoshimura, este me aconselhou a pedir para o professor Oozawa para me treinar, e assim, todos os dias recebia treino especial do professor e afinal consegui ser aprovado. A partir de então, fiquei com medo de *kata* e não aprendi nada até me formar e vir para o Brasil.

Os meus amigos japoneses, que na época da faculdade eram grandes lutadores, até onde sei, estavam em situação semelhante. Se a pretensão é ser assalariado após se graduar, não há necessidade de aprender seriamente esses complexos *kata*. A menos que você pretenda viver como judoca, entretanto não é possível sobreviver com judô. Por isso, era consenso entre colegas judocas de que o judô era apenas um esporte para glorificar a época da mocidade. Mesmo o pessoal da Universidade Meiji e da Nihon praticavam esse esporte apenas por prazer e, apesar de alguns serem fortes, não conheciam o *kata*. A intensidade do treino era diferente, uma vez que aprendiam *kata* apenas o suficiente para serem aprovados na prova de promoção de grau. No caso das escolas Busen e Koushi, o objetivo era ensinar e não derrotar o adversário. Nas disciplinas obrigatórias, estão incluídas *kata* e técnicas de defesa.

Nas universidades, em geral, basta ser forte e vencer a luta, o que acaba refletindo no método de treinamento e, naturalmente, o treino acaba visando somente o combate. O *kata* do judô é semelhante às regras gramaticais de um texto. Imagine que o treino com aplicação livre de golpes é como uma redação. Se não conhecer bem as regras gramaticais, não poderá escrever uma boa redação.

No mundo do judô brasileiro, antes da guerra, não existia o *kata* no seu verdadeiro sentido, ou seja, não existia a gramática. O que se ensinava na academia Ogawa Budokan era *kata* de jiu-jitsu da corrente Kashima Shinyou.

O verdadeiro *kata* de judô da Kodokan foi introduzido no Brasil, após a guerra, pelo senhor Kihara e pelos senhores Gengo Katayama e Michio Ninomiya, da escola especializada de *budô*. Entre eles, o senhor Kihara, de São Paulo, foi quem andou pelo interior orientando o *kata* e fez soprar novos ventos do judô no Brasil.

Da Manchúria para o Brasil

O senhor Kihara nasceu em 1913, na cidade de Yamagata, na província de Yamagata. Desde a tenra idade, dedicou-se aos treinos de judô e logo se destacou, ficando famoso como "Kihara da província de Yamagata". Conquistou o 2º dan no período em que cursava a Faculdade de Engenharia de Yamagata, e participou como capitão da equipe nos torneios nacionais, edificando a época áurea da escola. Após concluir a faculdade, foi contratado pela companhia de estrada de ferro do sul da Manchúria e mudou-se para aquele país.

O departamento de judô daquele local era uma espécie de combinação da atual Shin Nittetsu com a Asahikasei, sendo uma companhia internacional em que a nata da liga estudantil de Tóquio desejava ingressar.

Havia um ex-formando da minha escola chamado Den Nagamitsu. Era meu maior incentivador da época de estudante do clube de judô da Universidade Waseda; desconhecia a sua ocupação, mas ele costumava aparecer no clube e deixar uma gorda contribuição financeira. Cuidava até da colocação de estudantes no mercado de trabalho. De olhos brilhantes, careca, porte físico robusto, era uma pessoa importante e comentava-se que era o chefão do Sokaiya.

Meu irmão também era capitão do clube de judô da universidade. Por sermos irmãos, o senhor Den costumava me dirigir a palavra. Pouco antes de emigrar para o Brasil, fui a Oguikubo procurar o senhor Nagamitsu para me despedir. Ele se encontrava em casa e me recebeu dizendo:

– Oh, Ishii, é você. Entre. Deseja alguma coisa?

– Sim, na próxima semana, vou partir para o Brasil. Obrigado pela atenção que me concedeu durante a época que cursava a faculdade. Desejo ir para lá e tentar o sucesso.

– Havia ouvido comentários a esse respeito. Quer dizer que vai mesmo para o Brasil. O seu irmão vai para França, não é? Por que não vai à Europa?

– É que eu desejo ir ao Brasil e me tornar vaqueiro. A Europa é pequena e não dá para ter fazenda.

– Interessante. Durante minha permanência na Manchúria, havia um homem chamado Yoshio Kihara. Ouvi dizer que ele voltou da Manchúria e emigrou para o Brasil. Parece que abriu uma academia em São Paulo e está tendo sucesso. Outro dia, ele me enviou uma correspondência. Vou lhe escrever uma carta de recomendação, por isso procure-o. Ei, Machiko, traga a carta do Kihara.

– Aqui está – disse Nagamitsu,

Assim dizendo, o senhor Den me entregou a carta de recomendação junto com uma generosa quantia em dinheiro como presente de despedida.

Parece que os dois tinham sido vizinhos no alojamento da companhia de estrada de ferro em Bujun, na Manchúria. Foram colegas de treinamento e de trabalho, tendo ambos participado juntos do torneio entre a Manchúria e a Liga Estudantil de Tóquio. A competição entre estes dois prosseguiu por treze anos e foi um grande evento que marcou a história de judô anterior à guerra.

É possível imaginar a capacidade de judô do senhor Kihara, que participou deste torneio como atleta da equipe da Manchúria. Sua esposa faleceu em meio ao tumulto do final da guerra, e ele voltou para sua terra natal, Yamagata, com sua filha Kimie. Posteriormente, casou-se novamente, mas sem conseguir esquecer o sonho de voar para o exterior, procurou o senhor Takeshi Kunii, amigo dos tempos da Faculdade de Engenharia de Yamagata, e, em setembro de 1956, veio para o Brasil trazendo toda a família no navio de imigrantes Tisadane Gou.

No *São Paulo–Shimbun* de 11 de agosto de 1956 foi publicado um artigo significativo sobre o senhor Kihara. Sob o título "Fato auspicioso", ele narrava sobre os novos ventos no judô brasileiro com a vinda do especialista em judô, o 7º dan da Kodokan, Kihara, ao Brasil, onde esse esporte estava em ascensão. Ele vinha com a finalidade de fixar residência permanente neste país como imigrante agrícola. Era uma notícia que trazia esperança para o judô brasileiro.

O ex-colega de escola do senhor Kihara e responsável pela sua vinda, o senhor Kunii, narrou o seguinte:

"Nós não estamos trazendo o 7º dan Kihara com a intenção de fazê-lo sobreviver às custas de judô. Uma vez que ele virá como imigrante agrícola, desejamos que essa finalidade seja cumprida e assim escolhemos um lugar na periferia para ele fixar residência. O próprio deseja assim. Contudo, já que virá um 7º dan, gostaríamos de contar com a colaboração dele para o judô brasileiro. Tudo será assunto a ser debatido após sua chegada. Pretendemos que ele se projete no judô brasileiro como uma folha totalmente em branco. Eu, porém, mais do que tudo, estou muito feliz com a vinda do meu grande amigo."

E assim começou a vida do senhor Kihara no Brasil. No início entrou para uma granja avícola na periferia de Santo André, onde criou galinhas durante três meses. Depois mudou-se para a capital e, com a ajuda do senhor Yokoyama, alugou o salão da Associação Brasileira de Jovens no Parque D. Pedro e abriu uma academia.

Na época, o senhor Kihara tinha 42 anos, 1,66 metro de altura e pesava 75 quilos. Estava verdadeiramente na sua idade mais produtiva. Segundo meu amigo de judô e proprietário da Academia Messias, situada no bairro da Penha, o senhor Kihara ia lá duas vezes por semana para dar orientações. Treinava com o 5º dan Martins, que era considerado o mais forte judoca do Brasil naquela época, e o derrubava dando apenas uma rasteira. Era especialmente forte em *ne-waza*, começara com luta livre e conta-se que o próprio senhor Messias, que era habilidoso em *ne-waza*, não era páreo para o senhor Kihara.

Era uma pessoa extremamente humilde, ia para qualquer lugar que fosse solicitado, dando orientações sobre *kata* com muita gentileza. Dedicou-se à divulgação de *kata* do judô da Kodokan, viajando não somente para o interior de São Paulo, mas também para Minas Gerais, Paraná e Rio de Janeiro.

Eu vim para o Brasil oito anos depois do senhor Kihara, em 1964. Naquela época, a academia mais procurada no estado de São Paulo era a Academia D. Pedro, administrada pelo senhor Kihara. No Campeonato Brasileiro de Judô e Kendo realizado logo após a minha vinda ao Brasil, reuni os mais habilidosos lutadores da Alta Sorocabana e participei da luta por equipe. No primeiro combate, enfrentamos a Academia D. Pedro e, com exceção de um ponto que eu conquistei como 1º lutador, fomos derrotados por 4x1. Foi o meu primeiro contato com o senhor Kihara. Quando falei sobre o senhor Den Nagamitsu, ele se mostrou muito saudoso. Posteriormente, a convite da Usiminas, visitei Ipatinga junto com o casal Kihara. O senhor Kihara deu orientação sobre o *kata* e eu fiz a demonstração lutando contra dez homens.

Nessa ocasião, o capitão de Usiminas, o senhor Iwafune solicitou um treino ao senhor Kihara. O senhor Iwafune tinha sido capitão na Universidade Takushoku, era 5º dan de judô e um esportista que praticava de tudo, de rugby a sumô. Todos interromperam o treino para observar a luta dos dois. Eles se pegaram de forma natural pelo lado direito e aplicaram as técnicas um no outro com seriedade. O que me espantou foi a boa postura do senhor Kihara. Por mais que o senhor Iwafune aplicasse os golpes, permanecia impecável e, com movimentos leves e rápidos como os de besouro d'água, atirava e lançava o senhor Iwafune ao chão. Após lançar dez vezes, baixou a cabeça para cumprimentar sem derramar uma gota de suor.

Ao término da luta, eu perguntei ao senhor Iwafune:

– Neste lance, o senhor saltou, não foi?

– Idiota! Fui lançado de verdade. Eu atacava com intenção de conseguir *ippon*, porém era inútil com aquele professor. Se pensa que estou mentindo, peça você também um treino.

– Eu não, não quero me machucar.

Naquele instante, observando a luta do senhor Kihara, senti que eu também seria arremessado ao chão.

Senti que os antigos judocas deviam ser realmente fortes. Além da Academia D. Pedro, o senhor Kihara ensinava na Escola São Francisco, na Kokusuikan, em São Paulo, e no departamento de judô da Kanebo, em São José dos Campos. Conta-se que permanecia quase a semana toda vestido de *judogui*.

Dentre os discípulos do professor Kihara, se enfileiravam muitos judocas excelentes, dentre eles, o famoso Miguel Suganuma, Milton Lobato, Michio Harada, Mário Matsuda, Kenji Miyazaki e Masaru Saito. Fiquei admirado ao saber que todos eles pareciam crianças frente ao *ne-waza* do senhor Kihara.

No 4º Campeonato Mundial de Judô realizado no Rio de Janeiro em 1965, a pedido do presidente Cordeiro, os senhores Kihara e Sobei Tani atuaram como técnicos do time brasileiro. Dessa forma, o senhor

Kihara dedicou-se na divulgação do judô correto da Kodokan e na orientação do *kata*, solidificando a forma original do *kata* no judô brasileiro.

Até então, vários judocas, a bel-prazer, individualmente, haviam unificado os vários tipos de *kata* do judô da Kodokan que aprenderam através da leitura de livros e confeccionaram belos manuais. Isso permitiu a regularização da graduação do judô brasileiro, e os vários dan que eram reconhecidos por cada academia sem teste de *kata* foram organizados, criando a base para a realização do primeiro teste de promoção em São Paulo sob coordenação da Associação dos Faixas Pretas da Kodokan.

O falecimento do senhor Kihara justamente no momento que começava a brilhar uma luz no fim do túnel no judô brasileiro é um fato desconsolador.

Frequentemente penso: "Ah, se ele estivesse vivo...". É um grande benemérito do judô brasileiro. Com seu sorriso constante e voz rouca, me dirigia a palavra:

–Ei, Ishii, tudo bem?

O esposo da senhora Kimie, a filha única do senhor Kihara, era Hideki Sakuramachi, meu maior rival de judô e sumô. Ele era de uma classe mais nova do clube de judô da Universidade Chuô do técnico Okano e veio ao Brasil quando era 4º dan. Era um grande atleta que enfrentou Yokozuna no Campeonato Brasileiro de Sumô.

Após seu falecimento, o senhor Kihara recebeu como homenagem póstuma da Kodokan, o 8° dan.

AUGUSTO CORDEIRO

Primeiro presidente da Confederação Brasileira de Judô

Entre a lista de judocas brasileiros, eu selecionei unicamente o senhor Cordeiro devido à sua enorme colaboração ao judô brasileiro.

O senhor Cordeiro nasceu em 8 de dezembro de 1920, no Rio de Janeiro. Oito de dezembro é uma data inesquecível para os japoneses, pois é o dia do ataque a Pearl Harbor.

O senhor Cordeiro foi o primeiro presidente da Confederação Brasileira de Judô na época em que eu ainda lutava. O judô que começou no seio da comunidade *nikkei* teve sua atividade interrompida temporariamente durante a guerra, mas, apesar disso, ao final do conflito teve grande aceitação entre os brasileiros. Entretanto, o judô ainda não passava de mera categoria da Confederação Brasileira de Pugilismo.

O judô foi alçado para modalidade olímpica nos Jogos Olímpicos de Tóquio, mas somente depois das Olimpíadas de Munique em 1972, a Confederação Brasileira de Judô, enfim, separou-se da Confederação Brasileira de Pugilismo e se tornou independente. Até então, todos os torneios internacionais eram realizados sob coordenação da Confederação Brasileira de Pugilismo, inclusive o 5º Campeonato Mundial de Judô, realizado em 1965 no Rio de Janeiro. A verba do governo brasileiro também era destinada à Confederação de Pugilismo e o presidente da comissão do Campeonato também pertencia à referida entidade.

Porém, graças ao esforço do senhor Cordeiro, foi fundada a Confederação Brasileira de Judô. É grande o mérito do presidente Cordeiro em alçar o judô brasileiro, até então em nível de Jogos Pan-Americanos, à posição de competir em pé de igualdade com países europeus e Japão. Ele exerceu também por muitos anos a presidência da Confederação Pan-Americana de Judô.

Criador do judô carioca

Seu primeiro discípulo, Rodolfo Hermani, era chefe do Departamento Técnico e foi o primeiro juiz internacional brasileiro. O senhor Cordeiro fez ressonância com a filosofia e o método de ensino de judô do senhor Ryuzo Ogawa, fundador da academia Ogawa Budokan de São Paulo, e, durante longo tempo, atuou como chefe da filial do Rio de Janeiro, criando inúmeros bons atletas. Além disso, elevou o nível do judô carioca, até então desprezado, a ponto de se equiparar com São Paulo. Seu valioso discípulo, Luiz Alberto Mendonça, foi campeão da categoria peso-livre do Campeonato Brasileiro de 1960 e participou do 2º Campeonato Mundial de Judô como representante do Brasil. Hermani, citado anteriormente, é campeão brasileiro; ademais, Antônio Croff e Afonso Alves também brilharam como campeões brasileiros. O senhor Cordeiro foi um verdadeiro pai de criação do judô carioca. Em 1964, quando o Brasil participou pela primeira vez das Olimpíadas (nos Jogos Olímpicos de Tóquio), ele foi convidado especialmente pela Kodokan para exercer a arbitragem.

Eu conheci o senhor Cordeiro na Academia Kurachi em São Paulo. Nessa época eu era aluno de lá e trabalhava como treinador substituto. No Campeonato Brasileiro de Judô e Kendo, eu conduzi a Academia Kurachi à vitória na categoria por equipe por dois anos consecutivos, e me orgulhava também da minha invencibilidade na categoria individual com vitórias seguidas; mas por causa da minha nacionalidade japonesa, eu não podia participar oficialmente dos campeonatos brasileiros e me dedicava exclusivamente a ensinar.

O senhor Cordeiro e o senhor Kurachi eram grandes amigos e o relacionamento deles era mais forte que o laço entre irmãos.

– Olá, Kurachi, como vai? Tudo bem?

–Oh, amigão Cordeiro! Como está?

Após esse cumprimento inicial, se abraçavam e conversavam, revelando uma amizade de fazer inveja a todos.

O senhor Kurachi foi quem me apresentou ao senhor Cordeiro e iniciou a conversa sobre naturalização. O senhor Cordeiro também concordou veementemente, persuadindo-me a me naturalizar e levantar a bandeira do Brasil ao mundo para o bem do judô brasileiro.

– Ishii, você pode vencer com certeza. Você é único. Você imigrou ao Brasil por gostar deste país, não foi? Se você se casar com uma brasileira e tiver filhos, você se torna brasileiro. Ishii, você deve saber que os atletas brasileiros só treinam três dias por semana. Mesmo assim, o Brasil consegue vencer nos campeonatos sul-americanos e Jogos Pan-Americanos. Mas, após observar a performance dos brasileiros no 3º Campeonato Mundial de Judô e nas Olimpíadas de Tóquio, eu percebi o seguinte: até a primeira ou segunda luta eles vão relativamente bem. Depois disso, os esportistas ficam sem energia e são derrotados. Os atletas do Japão e da Europa não se cansam. De fato, não é possível vencer sem treino diário. O Anton Geesink, por exemplo, pratica não somente o judô, mas corta árvores, corre carregando toras, faz ciclismo, e até luta livre dos greco-romanos. Você praticou judô estudantil no Japão, deve entender. Eles treinam pelo menos quatro horas por dia. Além disso, todos os dias treinam como se estivessem brigando. O pessoal dos países socialistas (Rússia, Alemanha Oriental e Polônia) ficará cada vez mais forte daqui para frente. Todos são profissionais e vêm buscar medalhas com o patrocínio do seu país. Se conquistar a medalha de ouro, será um herói nacional. Passará a vida toda sem necessidades. Até agora o judô não fazia parte dos Jogos Olímpicos, por isso todos praticavam despreocupadamente. Mas, daqui em diante, será diferente. Você, Ishii, é o único que poderá levantar a bandeira brasileira no pódio olímpico. Gostaria que você ensinasse ao pessoal do Brasil como se deve treinar para vencer. Eu tenho visto todas as suas lutas. O judô de Shiozawa, Kawakami ou Saito não tem validade mundial. Quero que ensine aos jovens. No Brasil existem muitos jovens promissores. Queria que você lhes incutisse a sua técnica e o seu caráter. Então, não é verdade, Kurachi? Deixe-me usar o Ishii para o bem do judô brasileiro.

A essas palavras entusiastas do senhor Cordeiro, o senhor Kurachi acrescentou:

– Então, Ishii, você compreende o que o senhor Cordeiro quer dizer? Eu lhe disse que a juventude só acontece uma vez. Fico contente que você treine Nishimura e Masaru. Meus alunos também ficaram fortes graças a você. Nishimura e outros voltam para casa chorando após os treinos, mas estão dizendo que não perderiam de você em uma luta de verdade. Ishii, naturalize-se e ajude o senhor Cordeiro. Eu também aceitei o cargo de técnico da equipe brasileira no campeonato mundial do Rio de Janeiro. Deixei meu trabalho de lado e me esforcei seriamente para que todos vencessem a luta. Contudo, veja como é o time brasileiro. Todos praticam judô por lazer ou recreação. Apesar de serem derrotados no campeonato mundial do Rio de Janeiro, ficam de sorrisinho idiota. Nem ficam com raiva. Não é mesmo?

E para dar o golpe final, o presidente Cordeiro decidiu por mim:

– Está certo, nós vamos cuidar do seu caso de naturalização para brasileiro. Fique tranquilo. Treine bastante na academia do Kurachi e me acompanhe no próximo campeonato.

A seguir, virou-se para o professor Kurachi:

– Kurachi, conto com você. – E bateu-lhe nas costas.

E assim, o problema de minha naturalização para cidadão brasileiro foi solucionado facilmente pelo senhor Cordeiro.

À primeira vista, o senhor Cordeiro podia parecer tolerante e estúpido, mas, no fundo, era teimoso e um descendente de português típico. Uma vez decidido, avançava sem titubear. Cumpria sem falta o que prometeu. Nutria verdadeira adoração pelo judô. A academia do senhor

Cordeiro ficava na avenida Copacabana no Rio de janeiro. Era uma bela academia e, sempre que eu ia ao Rio, nunca deixava de treinar ali.

"Ishii, este é o *judogui* que eu estou fabricando. Dou para você. Sue bastante com ele." Assim dizendo, me presenteou com o *judogui* com marca de tigre. Ainda hoje, os *judoguis* com essa marca são feitos na sua fábrica.

Então me naturalizei em 1969, e me tornei oficialmente um integrante do time de São Paulo. O técnico do time paulista era o senhor Shuhei Okano, formado na Universidade Chuô. Na época da faculdade, o senhor Okano era conhecido por sua força descomunal e, após concluir o curso, foi admitido nas indústrias pesadas Otani. Fez grandes atuações no judô empresarial japonês, sendo eleito o melhor atleta por diversas vezes no torneio Zen Nihon Touzai Taikou do Japão e atuou também no campeonato japonês de judô pela região Kinki. Porém, aos 28 anos, demitiu-se repentinamente da Indústria Otani e imigrou para o Brasil.

Nessa época, no judô brasileiro havia uma espécie de regra fraudulenta que determinava que o técnico do estado vencedor do campeonato brasileiro iria acumular o cargo de técnico do time nacional. O primeiro campeonato que participei após ter me naturalizado foi o Judogan, promovido pela Universidade Gama Filho no Rio de Janeiro. O time paulista viajou para lutar no Rio sob liderança do técnico Okano. As lutas daquela época eram interestaduais: a equipe de Brasília, composta por Shiozawa e Casimiro, a equipe carioca do gigante Artilheiro, Eurico, Ricardo e Sansão, e a equipe paulista disputavam a vitória. Eu venci na categoria peso-pesado e na categoria livre derrotei Lhofei Shiozawa. Assim começou o meu desafio e o do senhor Cordeiro para o mundo.

Além disso, juntou-se a nós o forte apoio do senhor Okano. No campeonato brasileiro daquele ano, ganhamos facilmente o título nas categorias peso-médio e livre, e no Campeonato Pan-Americano de Judô realizado em Londrina, também conquistamos a vitória facilmente nas categorias peso-médio e livre.

No 7º Campeonato Mundial de Judô realizado no ano seguinte, em 1971, na cidade Ludwigshafen, conquistei a medalha de bronze na categoria peso-meio-pesado. Na categoria livre, infelizmente, perdi para o judoca Shinomaki do Japão na decisão do terceiro lugar e fiquei em quinto lugar.

Essa foi a primeira participação do judô brasileiro em torneio internacional. O presidente Cordeiro ficou tão comovido que me abraçou e chorou. Foram verdadeiras lágrimas de emoção.

"Ishii, obrigado! Agora o judô do Brasil também se internacionalizou. Creio que, observando a sua luta, os jovens poderão adquirir confiança de que, se treinarem como você, também poderão vencer em lutas mundiais. Daqui em diante, o Brasil vai se fortalecer, uma vez que todos compreenderam que sem treino não é possível vencer... Chico, Shinohara e Anelson estavam observando atentamente a sua luta. Agora é se preparar para os Jogos Olímpicos de Munique do próximo ano. Ishii, conto com você!" Dizendo isso, bateu em minhas costas.

Para Munique

Do Brasil, somente eu e Lhofei Shiozawa conquistamos o direito de participar na modalidade judô dos Jogos Olímpicos de Munique de 1972. Logo após o encerramento do torneio sul-americano realizado na Argentina em abril, eu e Shiozawa recebemos a passagem aérea para Tóquio. Na volta do campeonato sul-americano, o senhor Cordeiro nos chamou e disse:

– Vocês irão imediatamente ao Japão treinar intensivamente para as Olimpíadas. Deixo o treino por conta de vocês. Quero que se esforcem para conquistar uma medalha. Ishii, no campeonato mundial são dois atletas por país, no entanto, para as Olimpíadas é apenas um. Uma vez que você só perdeu para o atleta japonês, desta vez é certo que será medalha de prata. Eu gostaria de acompanhá-lo, mas tenho meu trabalho. Vocês já são adultos. Compreendem o idioma japonês e devem ser amigos. Eu ficarei responsável pelo envio do dinheiro. Quero que se esforcem.

Assim, nós partimos para o Japão. O resultado, infelizmente, foi uma medalha de bronze para mim na categoria peso-meio-pesado e

Shiozawa não conseguiu nenhuma medalha. Mas a alegria do senhor Cordeiro foi grande.

– Agora podemos retornar ao Brasil de cabeça erguida. O Brasil enviou uma equipe de 155 atletas para jogos de Munique, e o resultado foi apenas duas medalhas de bronze, a de Ishii e a de Nelson Prudêncio no salto triplo. Agora o judô será reconhecido na reunião do Comitê Olímpico Brasileiro.

Dito isso, seus olhos brilharam como os de uma criança. Eu não consegui a tão desejada medalha de prata; cheguei a sonhar com medalha de ouro quando o japonês Sasahara foi derrotado pelo russo Chochoshibiri, mas não passou de uma ilusão. Consolei-me dizendo que, para mim e para Shiozawa, ambos com 31 anos, foi o máximo que podíamos fazer.

Posteriormente, fui para Madri e viajei por várias localidades da Europa em companhia do senhor Cordeiro. Havia o 8º Campeonato Mundial de Lausanne, o Campeonato Internacional na Inglaterra e o Campeonato Ibero-Americano. O senhor Cordeiro sempre conduzia o time brasileiro com aquele jeito meio aéreo.

Realmente, muitas lembranças saudosas vêm à tona. Ele gostava do povo japonês. E acreditava em nós. Dizia que não entendia nada de técnica e deixava os conselhos e orientações de luta por conta do técnico Okano; ele tomava assento no lugar reservado às autoridades e observava muito atentamente as nossas lutas. Tinha os lábios superiores um pouco voltados para cima, e torcia balançando a sua careca característica. Sou extremamente grato a ele por ter me escolhido e por ter sido o meu maior benfeitor no Brasil.

Quando soube do seu falecimento, eu senti como se tivesse perdido meu pai do Brasil. Foi, de fato, o maior benemérito do judô brasileiro.

HIKARI KURACHI

Quando eu penso nele, sinto meu coração ficar apertado. Eu chorei pela primeira vez, desde que vim ao Brasil, quando soube do seu falecimento. As lágrimas afloraram sem querer. Foi como se eu tivesse perdido uma pessoa da família. A sua morte foi muito repentina e trágica. Ele tinha pouco mais de 50 anos.

Conheci o senhor Kurachi quando eu era um jovem de 22 anos, recém-chegado ao Brasil, e ele estava no vigor dos seus 36 anos. Quando eu o vi pela primeira vez pensei: "Que homem extraordinário!" Brilhava um halo nas suas costas. Homem assim é que pode ser chamado de herói, seu nome também é Hikari (luz); era como se fosse meu irmão mais velho. "Vou apoiar esse homem e torná-lo o chefe número um do Brasil", pensei. Se comparamos à família Jirochô de Shimizu, eu sou, por assim dizer, o *Oomasa*[1]. Tomado por tal sentimento, quando retornei a São Paulo depois de um treino rigoroso, eu me alojei na sua casa totalmente convicto do que faria. Isso foi dois anos após o nosso primeiro encontro.

O senhor Kurachi nasceu na cidade de Iizuka, distrito de Kaho, província de Fukuoka. O nome do seu pai era Kakichi Kurachi e da sua mãe, Yumi. Aos 7 anos, veio ao Brasil com seus pais e seu irmão Akira. No início, morou em uma fazenda nas cercanias de Avaré, mas não se deu muito bem e mudou-se para Itapecerica da Serra ao sudoeste de São Paulo, onde trabalhou com a horticultura.

---

[1] Braço direito. (N.R.T.)

Ali começou a aprender judô com o senhor Hashizume, que era professor da escola de língua japonesa local. Desde jovem, mostrou talento para lutas marciais, sempre alcançando ótimos resultados na colônia de imigrantes em várias modalidades como kendo, sumô e judô.

A convite do senhor Massao Shinohara, que ensinava judô na cidade de Embu, conheceu o senhor Ryuzo Ogawa do Budokan e se associou imediatamente. A partir de então, destacou-se e subiu de grau. Aos 21 anos, em 1948, passou para o 3º dan e abriu uma academia em Santo Amaro, nas proximidades do atual Largo 13 de Maio.

Nessa época, ele tinha um físico proporcional, medindo 1,75 metro de altura e pesando 70 quilos; era invencível no *uchi-mata* de esquerda e no *hane-goshi*, seus pontos fortes. Logo depois, fundou a Academia Kurachi na rua Quintino Bocaiúva, no centro de São Paulo. Além disso, a convite do professor de judô da alfândega de Santos, ensinou judô à guarda marinha de Santos.

Era o apogeu de imigração e chegavam muitos navios imigrantes ao porto. Sempre que um imigrante que não compreendia o idioma criava problemas no posto alfandegário, o senhor Kurachi corria para solucionar o problema. Era uma espécie de cônsul na cidade. Pelo fato de ser professor de judô da guarda marinha e ter ensinado judô a muitos inspetores alfandegários, o nome do professor Kurachi tinha passe livre na alfândega de Santos.

Duas a três vezes por semana, ao chegar encomendas em Santos, ele ia retirá-las a pedido de outras pessoas e, por vezes, pedia isenção de impostos absurdos, assim, muitos contaram com a ajuda do senhor Kurachi. Nessa época ia a Santos três vezes por semana e, nos outros dias, dava orientação na sua academia. Seu irmão mais novo, Manabu, nascido no Brasil, tornava-se cada vez mais forte sob a orientação do seu irmão Hikari e, em apoio ao irmão mais velho, Akira, os três irmãos percorreram muitos clubes e colônias de imigração dando orientação de judô.

Onde quer que fossem, o mais popular era Hikari Kurachi, detentor da primeira medalha de ouro dos Jogos Pan-Americanos. Ainda hoje é comentado no judô brasileiro um episódio que aconteceu durante esse campeonato realizado em Havana, em Cuba.

Na decisão entre o senhor Kurachi e o gigante americano Harris, por descuido, aquele deslocou o braço esquerdo durante a luta, mas lutou até o fim e arrebatou o ouro com apenas um braço.

Acontece com o judô o mesmo que se vê em outras modalidades: se você começar a ensinar, não ficará forte. Isso porque o atleta deve sempre possuir a fúria de uma fera e a excepcionalidade de matar o adversário caído com um único golpe. Para ensinar os outros, é necessário estar munido de bondade, atenção e paciência. Se arremessar os alunos desordenadamente ou judiá-los, eles acabarão indo embora. A atenção de um professor de ensinar meticulosamente às crianças cada golpe de *ukemi* ou de deixar-se derrotar pela técnica aplicada pelo aluno é desnecessária para um atleta na ativa.

Se o senhor Kurachi tivesse treinado seriamente para desenvolver o seu judô, em vez de tornar-se dono de uma academia quando jovem para ajudar a família, provavelmente teria sido um campeão mundial. Eu nunca treinei diretamente com o senhor Kurachi. Contudo, foi o que eu senti ao observar o seu modo de ensinar e treinar os alunos. Na ocasião em que meu mestre e benfeitor, professor Oosawa, esteve no Brasil e fez uma demonstração contra cinco homens, o senhor Kurachi participou como o último lutador e consta que deu muito trabalho ao professor Oosawa.

Ainda hoje, os mais idosos da colônia nos contam entre gestos, como se tivessem estado presentes na ocasião, a esplêndida luta guerreira do senhor Kurachi. Como arrimo da família Kurachi, desde seus 20 anos, o senhor Kurachi se viu obrigado a se profissionalizar no judô para cuidar do seu velho pai e educar seus irmãos mais novos. Por isso, foi curto o período em que brilhou como atleta. Entre seus precursores estavam Martins e Durval e, depois dele, sucediam os irmãos Kawakami, os irmãos Yamamoto e Miguel Suganuma, entre outros.

Enquanto orientava os alunos na academia, o tempo do próprio treino ficava reduzido. Ainda mais porque trabalhava no eixo Santos e São Paulo. Entretanto, reuniam-se muitos alunos bons entre os discípulos do senhor Kurachi. Jovens *nisseis* como os irmãos Minagawa, Hinata, Nishimura, Kanayama estimavam-no e se reuniam. Os irmãos Kawakami quase sempre treinavam na Academia Kurachi. Era uma das academias que tinham os judocas mais fortes na época em que vim ao Brasil.

Uma das características do senhor Kurachi era sua habilidade em *ne-waza*. Treinou o *ne-waza* com dedicação extraordinária a fim de vencer o Hélio Gracie. "Eu pretendia lutar com o Hélio para defender a honra do judô. Mas o Hélio não aceitou o meu desafio", disse ele.

Quando o senhor Massahiko Kimura esteve no Brasil e enfrentou Hélio Gracie no ginásio do Ibirapuera, o senhor Kurachi foi o auxiliar técnico de Kimura. Kimura arremessou com facilidade e quando entrou em *gyaku juji*, eu gritei "Quebre!", mas Kimura não quebrou. Jorge Gracie jogou a toalha e Kimura foi o vencedor. Aquela foi uma vitória esmagadora do Kimura. Depois disso, o Hélio não voltou a desafiar o judô.

JUDÔ, SAQUÊ, PESCA E CANTO

Eu fiquei na academia do senhor Kurachi na rua Oscar Freire, onde comi e dormi por mais de três anos até me casar. Nesse período, fiquei muito comovido com sua paixão pelo judô. Eu era jovem, tinha caráter emotivo e vivia seguindo o senhor Kurachi onde quer que fosse.

O senhor Kurachi bebia saquê em grande quantidade. Logo que bebia começava a cantar a canção "Jinsei Guekijo" e *gunka* (músicas marciais). Possuidor de uma memória fabulosa, ele conhecia todos os *gunka* do começo ao fim. Fiquei espantado de ouvi-lo cantar as três estrofes da longa canção "Aikoku Koshinkyoku" de um fôlego sem errar uma única vez. Cantava bem alto.

Quando começava a beber, não parava mais e rodava pelos bares. Se dava vontade, descia até Santos e às vezes demorava uns três dias para voltar. Depois de passar a bebedeira, quando todos começavam a se preocupar, retornava dizendo: "Desculpem, estava pescando. Pesquei este peixe, vamos comê-lo todos juntos".

Gostava de pescar e ele me convidou várias vezes para ir aos lagos de Santos, Iguape e Cananeia. Gostava de pescar nos rochedos; tinha muitos amigos em diversas localidades à beira-mar e, em todos os lugares, era muito bem recebido. Gostava de conversar e seduzia os ouvintes com sua divertida arte de contar histórias. Por isso fazia muito sucesso entre as mulheres também. Onde quer que fôssemos beber, todas as mulheres procuravam o senhor Kurachi e eu, que não era versátil em português, ficava sozinho.

Costumava se ausentar cerca de dois dias dizendo apenas: "Ishii, amanhã conto com você". Fazia, tranquilamente, coisas que no Japão um proprietário jamais teria coragem de fazer. Ele era realmente atrevido. Eu o acompanhei também em viagens para as academias de Uberaba e Belo Horizonte, em Minas Gerais; Jaú, Jales, Campinas, Jundiaí, Itapecerica da Serra e Santos, em São Paulo. Por onde passávamos, havia um velho companheiro de judô esperando-o para lhe dar boas-vindas. Era realmente estimado por todos. Era uma pessoa de bom trato, gentil com todos e forte.

Na demonstração, eu enfrentava um grupo de dez, vinte pessoas. A seguir, ele dava explicações sobre a arte de autodefesa e técnicas. O treino livre que se seguia era o contumaz, muito divertido. Eu atuava como líder puxando a turma dos jovens e todos treinavam bastante. Foi também nessa época que a Academia Kurachi foi bicampeã na luta por equipe de faixa preta do Campeonato Brasileiro de Judô e Kendo.

Atendendo ao seu chamado, reuniram-se muitos faixas pretas que faziam um treino rigoroso quase todas as noites. Eu tenho a impressão de ter adquirido mais força nesse local. Todos avançavam sobre mim: "Derrube o Ishii!" Por isso, eu também precisei treinar firme para não ser derrotado. Após o treino, me dedicava à musculação e, sempre que surgia folga, era chamado para o sumô.

Simpatizantes do sumô da colônia paulista

No passado, o senhor Kurachi tinha sido *oozeki*[1] de sumô da colônia com o nome de Sangunzan. Os meus antigos companheiros de sumô que ouviram falar de mim me procuraram: "Gostaríamos que participasse pelo time paulista em prol da Associação de Simpatizantes de Sumô de São Paulo". No início, eu recusei dizendo que não fazia o meu gênero, mas resolvi lutar após as seguintes palavras do senhor Kurachi: "Ishii, é bom participar. Trata-se de ajudar os outros. Todos vieram procurá-lo porque confiam em você, por isso, participe. Você pode vencer. Lute!"

---

[1] Graduações de sumô. (N.R.T.)

Após começar as eliminatórias de São Paulo, fui lutar sumô amador em várias regiões conduzido pelo senhor Kurachi. Onde quer que fosse, ele era muito popular.

– Ei, Sangunzan! Como vai? Vai lutar sumô novamente, não vai? Esforce-se!

– Ei, Kurachi, o que é desta vez? Tome um trago.

– Oh, trouxe um cara que parece forte, não? Antigamente, eu e esse homem lutamos sumô e ele me derrubou. É um cara insolente. Vamos lutar?

Desta forma, muitos fãs de judô que conheciam sua fama do passado reuniam-se em sua volta. Era um ambiente agradável que me alegrava e eu lutava o sumô de várzea. Em vez de usar meu nome de sumô como antes, lutava com meu próprio nome, "Ishii". O sumô daquela época parecia a luta de festivais japoneses, com uma quantidade enorme de prêmios. Havia muitas sacas de arroz, armários, *ofurô*, cômodas, shoyu, *saquê*, açúcar, óleo vegetal e até bois, cavalos e porcos faziam parte dos prêmios. Quando vencíamos, abarrotávamos o carro do senhor Kurachi, íamos direto para um bar e fazíamos muita farra, pagando a conta com os prêmios.

Calculava-se que a população *nikkei* girava em torno de 800 mil pessoas na época em que cheguei ao Brasil. Correspondia aproximadamente à população de uma pequena província japonesa. Suponho que o nível do esporte era também semelhante ao campeonato entre províncias. Entretanto, de vez em quando, surgia ali um monstro brasileiro. Quase todos os lutadores de sumô praticavam judô. Os grandes nomes da categoria peso-pesado de judô eram persuadidos, como no meu caso, pelos simpatizantes regionais de sumô e participavam de campeonatos de sumô. Wilson, Zecão, Marcelo, José Casimiro, todos eram homenzarrões que pesavam mais de 100 ou 120 quilos. Ressalto que, assim como no Oozumô do Japão, os lutadores havaianos Takamiyama, Konishiki, Akebono e Musashimaru tinham o poder na sua força física.

A maioria dos *yokozunas* da história do sumô brasileiro são lutadores de judô. Lutadores como Ikemori, Virgínio e Renê Crespo mostraram grande atuação e se classificaram nos campeonatos mundiais de sumô.

Na Argentina, dois alunos do professor 6º dan Hideki Soma, meu companheiro de judô, ingressou para Oozumô do Japão e subiu até a categoria *juryou*. Eles também eram gigantes. Posteriormente, foram rebaixados para *makushita*², e usavam o nome de sumô Hoshiandes e Hoshitango. Do Brasil, lutadores como Go Ikemori que se tornara *yokozuna*³ do sumô brasileiro, meus alunos Tetsuya Takeda ou "Kitaazuma", Kuroda ou "Wakaazuma" e Coutinho ou "Kuniazuma", também treinavam esforçadamente no Tamanoibeya⁴.

Entre os *sekitori* de Oozumô⁵, não são poucos os que praticaram judô nos tempos colegiais. O já falecido *yokozuna* Tamanoshima e *oozeki* Kaiketsu também foram candidatos olímpicos de judô; o Munehiko Wakanojo que foi até *maegashira*⁶, no colégio em Okinawa Shogaku, costumava atuar como capitão ou vice-capitão juntamente com Yoshiharu Maki (orientador de Kodokan da polícia) no judô categoria peso-pesado, e chegou a ser aclamado como candidato favorito do Campeonato Intercolegial.

Na luta marcial, é forte aquele que tem bom equilíbrio. Quando se tem bom equilíbrio, não se cai. Fala-se muito em força física, concentração, musculatura dorsal forte ou força de arranque, mas tanto em judô como no sumô, vence aquele que custa a cair e tem estabilidade. Acrescente-se a isso os golpes e as técnicas, um pouco de malícia, e aquele que tem físico avantajado e possui força, logo ficará forte. No sumô vence aquele que expulsar o adversário do tablado e no judô basta arremessá-lo pelas costas. É algo realmente simples e, se um adulto treinar seriamente dois ou três anos, poderá aprender. Não é algo complexo.

"Ganhamos dinheiro arremessando pessoas, golpeamos e elas ficam contentes e nos presenteiam com arroz e taças..." Assim costumava falar o senhor Kurachi quando bebia.

---

² Categoria de sumô. (N.R.T.)

³ Categoria de sumô. (N.R.T.)

⁴ Local de treinamento. (N.R.T.)

⁵ Categoria de sumô. (N.R.T.)

⁶ Categoria de sumô. (N.R.T.)

Pensando bem, convenço-me de que é verdade. Normalmente, as pessoas trabalham em média oito horas por dia. No nosso caso, ensinamos um pouco de manhã cedo ou à noite e o restante do dia passamos dormindo com argumento de que precisamos acumular energia. Vez ou outra, lutamos como desesperados, mas, no restante do tempo, praticamente não usamos a mente. Surge uma grande diferença em relação àqueles que estão aflitos diariamente, quebrando a cabeça para encontrar um meio de ganhar mais dinheiro. Tudo vai bem enquanto se é jovem e saudável, pois ninguém olha para uma gueixa idosa. "É por isso que os guerreiros são todos pobres", esta era a opinião pessoal do senhor Kurachi.

Eu convivi com ele e todos os dias, em meio ao jogo de xadrez japonês, ouvi essa história a ponto de criar calo nos ouvidos. Eu não tinha como refutá-lo. Como poderia melhorar de vida? O que poderia fazer? Será que seria bom eu terminar só lutando judô? Eu vim para o Brasil com qual objetivo? Por mais que pensasse, não conseguia obter respostas.

Em busca da medalha após se naturalizar

O senhor Kurachi me deu a resposta:

– Ishii, naturalize-se e busque a medalha olímpica. E forneça a confiança aos judocas brasileiros de que isso é possível. "O Ishii conseguiu, eu também posso!" Transforme-se em prova dessa capacidade. Você vai ser o pioneiro da internacionalização do judô brasileiro. Ishii, tem que ser você. Eu ajudo. Faça. Se conquistar a medalha de ouro nos Jogos Olímpicos, o judô do Brasil passará a ser de nível internacional. A posição dos judocas também sofrerá mudança. Vai passar de artistas para verdadeiros esportistas. Eu também me esforcei, mas não consegui. Para o bem do judô brasileiro, você deve cumprir essa missão. – Persuadido pelo senhor Kurachi, fui me convencendo aos poucos.

Se permanecesse no seio da colônia paulista com o sumô amador, acabaria terminando como uma eterna gueixa do judô. Ninguém tinha trabalhado ainda para ascensão do judô brasileiro. Se conseguisse fazer com que a bandeira brasileira fosse içada pelo judô nos Jogos Olímpicos, o povo brasileiro poderia reconsiderar a existência da colônia *nikkei* que criou o judô brasileiro.

– Está bem, senhor Kurachi, tentarei. Vou me naturalizar e farei. Enfrentarei com todas as minhas forças. Por favor, olhe por mim. Não perderei jamais dos estrangeiros. Não há inimigo para uma alma nipônica. – E assim começou o meu combate.

Se eu não tivesse conhecido o senhor Kurachi, provavelmente, eu teria sido um simples assalariado ou proprietário de alguma loja. Talvez não tivesse continuado a praticar judô, porque não poderia sobreviver como dono de uma academia.

Bem ou mal, acredito que, se eu consigo viver como Ishii do judô, é graças à minha medalha olímpica de bronze. Aliás, contagiada inconscientemente pela minha fala emocionada sobre a participação nas Olimpíadas, a minha filha mais velha se entusiasmou dizendo que iria para as Olimpíadas e concretizou esse desejo participando dos Jogos Olímpicos de Barcelona.

A minha filha caçula também se esforçou visando Atlanta, mas devido à uma contusão, não conseguiu participar.

– Já se conformou? Case-se logo e me faça feliz. – Quando assim lhe disse, ficou toda vermelha. – Vou para as Olimpíadas de qualquer maneira. – E treinava judô o dia inteiro. Como isso também foi fruto da minha obra, nada posso fazer.

Do além, o senhor Kurachi deve estar dando gargalhadas. "Aí, Ishii, ânimo! Nós somos esportistas. Ahahahaha...".

Quando do falecimento do senhor Kurachi, em 31 de julho de 1982, publicamos uma matéria no jornal *São Paulo-Shimbun* com o título "Sob a bandeira do professor Kurachi", que gostaria de reproduzir aqui.

SOB A BANDEIRA
DO PROFESSOR KURACHI

"Eu tenho três amigos na América do Sul que considero mais íntimos do que meus próprios irmãos. O mais velho deles é o professor Kurachi que faleceu, inesperadamente, vítima de um afogamento. O segundo é o 6º dan Yoriyuki Yamamoto que, ironicamente, veio da Argentina ao Brasil como técnico de sumô, justamente no dia em que faleceu o professor Kurachi. O terceiro é o 7º dan Shuhei Okano que, atualmente, administra uma ferraria em Varginha no estado de Minas Gerais.

Esses três amigos eram veteranos inatingíveis apesar do meu grande esforço, e tanto na minha existência como no judô ou na minha vida pessoal, foram meus mestres e irmãos.

O professor Kurachi foi meu benfeitor, a quem devo minha vida atual e é o pioneiro do judô que eu mais admiro.

O professor Yamamoto me acolheu no meu período de ociosidade e foi quem me ensinou a alegria do judô, sendo homem influente em Buenos Aires.

O professor Okano era meu porto seguro no tempo de atleta, e foi com ele que conquistei a medalha de bronze nos Jogos Olímpicos de Munique.

Todos éramos ligados pelo judô e fizemos um pacto de irmãos, sendo o professor Kurachi o mais velho, o senhor Yamamoto o segundo, o senhor Okano o terceiro e eu o mais novo.

Os três irmãos mais novos se reuniram no funeral do irmão mais velho; eu chorei pela primeira vez desde que cheguei ao Brasil. A morte do professor Kurachi foi um acontecimento doloroso também para o judô brasileiro.

Pensando bem, quando, há cinquenta anos, recém-formado da faculdade e com o coração ainda ferido por não ter conseguido concretizar o sonho de participar nos Jogos Olímpicos de Tóquio, embarquei no navio de imigração America Maru e apostei o sonho da mocidade no Brasil, eu estava com 22 anos.

Chegando ao Brasil, pensei: "Bem, agora vou desbravar a floresta brasileira e vou ser um fazendeiro!" Cheio de vontade e energia, em primeiro lugar ingressei na escola rural da grande cidade de Presidente Prudente da Alta Sorocabana, a fim de aprender o idioma português e a agricultura brasileira.

Durante meio ano, troquei o *judogui* pela enxada e, molhado de suor, executei um simulacro da agricultura. Tomate, pepino, repolho, amendoim, nada dava certo.

"Assim não dá. Isso não é para mim. Mesmo que eu queira desbravar, sem capital não há como comprar terreno. Vou à São Paulo fazer outra coisa", decidi.

Com essa percepção, o primeiro lugar onde me alojei em São Paulo foi a academia do professor Kurachi.

Naquela época, a Academia Kurachi era a mais famosa e forte e tinha de quatro a cinco campeões brasileiros. Esse encontro foi assim: com *judogui* nas mãos, fui repentinamente à academia e...

– Com licença, o senhor é o professor Kurachi? Eu me chamo Ishii. Pratiquei um pouco de judô no Japão, no clube de judô da Universidade Waseda. Gostaria de solicitar um treino.

– Oh, então você é o Ishii? Já tinha ouvido falar de você. Estava na expectativa de sua visita. Entre. Quer suar um pouco? Treine alguns jovens.

– Por favor.

À época, o professor Kurachi estava no vigor dos seus 36 anos. Era alto de pele clara, rosto levemente austero e simpático, e o corpo malhado pelo judô; parecia um bloco de molas e era a própria intrepidez. O *hane-goshi* que puxava da esquerda e a potência do *uchi-mata* eram espetaculares.

Protagonizou um episódio como representante do judô brasileiro no Campeonato Pan-Americano de Judô realizado em Cuba, quando conquistou a medalha de ouro para o Brasil, lutando até o fim com o braço esquerdo machucado. Todo seu físico estava reluzente. Eu me tornei seu admirador convicto e pedi para me manter na Academia Kurachi como seu assistente.

– Está bem. Eu tomarei conta de você. Doravante, eu o usarei em prol do judô brasileiro. Sinta-se confiante.

Desde então permaneci e convivi com ele durante três anos na sua casa até eu me casar.

O professor gostava de ajudar os outros e não conseguia ficar indiferente ao sofrimento alheio; eu presenciei incontáveis vezes ele dando auxílio às pessoas. Ele gostava demais de judô e vendo os alunos praticando esse esporte enquanto passava por dificuldades financeiras, costumava dizer: "Ishii, vou ganhar bastante dinheiro para adotar os atletas que não têm condições de praticar judô à vontade e vou fundar um internato de estudantes para eles. E vou dar-lhes muita comida gostosa e enviarei os mais fortes ao Japão para treinarem. Criarei um rei de judô mundial no Brasil".

Dentre as lembranças do professor Kurachi, um fato inesquecível foi a minha questão de naturalização. Graças à minha ocupação exclusiva como instrutor na academia Kurachi, havia conquistado três vitórias individuais e derrotado a turma de campeões do Brasil no Campeonato Brasileiro de Judô e Kendo; no combate por equipe, conquistei duas vezes o posto número um para a Academia Kurachi. Enfim, adquiria confiança no judô e estava com a sensação de que nunca seria derrotado nos Jogos Pan-Americanos. Entretanto, se por um lado aqueles alunos que eu arremessava facilmente participavam das grandes competições a exemplo dos campeonatos sul-americanos, dos Jogos Pan-Americanos ou dos Campeonatos Mundiais de Judô, comentando posteriormente a vitória ou a derrota, eu, lamentavelmente, pela minha condição de cidadão japonês, isto é, por não possuir nacionalidade brasileira, por mais que vencesse a luta, estava impossibilitado de representar o Brasil.

Havia duas opiniões à minha volta.

Uns que diziam:

– Ishii, naturalize-se brasileiro e busque o ouro olímpico.

E outros dizendo:

– Ishii, o seu judô é o que você aprendeu no Japão. É sua obrigação ensinar aos brasileiros. É natural que vença, não pode querer lutar com eles.

Eu me angustiei muito e pedi conselho ao professor Kurachi.

– Eu estava esperando que você me procurasse. Faça. Ishii, naturalize-se e lute pelo Brasil. Você não será jovem para sempre. Só se é jovem uma única vez. Se você não o fizer agora, irá se arrepender quando for mais velho.

– Mas, professor, eu aprendi judô no Japão. Não é bom participar dos campeonatos mundiais pelo Brasil.

– Ishii, você está com que idade?

– Estou com 26 anos.

– O judô do Brasil requer um herói neste momento. Não importa quem seja. Vamos levantar a bandeira do Brasil no mundo e mostrar a existência da colônia *nikkei*. E incutir nos brasileiros a seguinte confiança: "Se aquele conseguiu fazer, eu também posso". Eu gostaria que você fosse esse puxador. E quero que você faça o papel de trampolim para o seguinte pensamento: "Se eu vencer o Ishii, estarei no nível internacional". Ishii, você consegue. Faça. Eu farei o possível para ajudá-lo.

– Professor, eu não sei se conseguirei, mas darei o máximo de mim.

Dessa forma, incentivado pelo professor Kurachi e com ajuda do professor Naito da Federação Paulista de Judô, em 1969 foi concluído o processo de naturalização e começou a minha luta. Isso foi na segunda metade dos meus 28 anos.

Assim começou o treinamento rigoroso do meu terceiro "irmão", o veterano Shuhei Okano, e com a união de nossas forças prosseguimos em direção aos campeonatos brasileiros e sul-americanos, ao Pan-Americano e ao mundial.

Dentre várias lutas que ficaram na memória, o 7º Campeonato Mundial de Judô realizado em Ludwigshafen na Alemanha Ocidental foi inesquecível. Tanto pelo fato de ter içado a bandeira brasileira pela primeira vez com a classificação em terceiro lugar, na categoria peso-meio pesado, quanto por ter conquistado a almejada medalha de bronze nos Jogos Olímpicos de Munique. Em Munique, o meu segundo "irmão" senhor Yamamoto, técnico da equipe argentina, juntamente com o técnico Okano do Brasil homenagearam minha pequena vitória brindando com cerveja de Munique.

A minha existência atual se deve unicamente ao professor Kurachi que, à sombra e à luz do dia, sempre me protegeu e me consolou, cuidando de mim com seu olhar amoroso. Em 1971, quando fui derrotado pelo Shiozawa no campeonato brasileiro e estava completamente desanimado, foi o professor quem me levantou e entre um trago e outro ouviu minhas lamentações e me consolou com as seguintes palavras:

– Não se desanime por tão pouco! Basta vencer no mundo. O Ishii é bem maior. Ahahaha...

Sempre espantava a tristeza com uma boa risada. Com sua morte, compreendi pela primeira vez a grandeza deste homem chamado Hikari Kurachi.

Na noite do velório, o veterano Okano disse o seguinte:

– Ishii, nós temos a obrigação de suceder a vontade do professor. Tanto eu como você temos dívida com o judô. Graças ao judô conquistamos a força de vontade e um extraordinário físico insuperável. A campanha para angariar fundos que nós da Associação dos Faixas Pretas da Kodokan desenvolvemos no centésimo aniversário do judô Kodokan (1982) é com objetivo de auxiliar os novatos. Além disso, precisamos preservar o nome de professores e precursores que se empenharam até agora no desenvolvimento do judô no Brasil, tais como os professores Okochi, Naito, Kihara, Ogawa e Tani, assim como seus méritos e trabalhos... Mais algum tempo e todos terão desaparecido. É nosso trabalho transmitir às próximas gerações qual papel desempenhou o homem chamado Hikari Kurachi na história do judô brasileiro. Ishii, para isso é preciso dinheiro. A partir de amanhã vamos nos empenhar novamente na campanha de arrecadação de fundos.

– Senhor, vamos lá! Vou cantar a música predileta do professor Kurachi.

– Sim, vamos!

– Fazendo esse tipo de coisa, fico com impressão que o senhor Kurachi vai entrar sorrateiramente, dizendo: "Oh, Ishii e Okano, vocês estão aqui? Ahahaha, esta noite está muito divertida. Eu vou cantar 'Jinsei Gekijo'... *Tokiyo jisetsu wa kawarotomamayo...*" Não posso deixar de me sentir assim.

Adeus, professor Kurachi. Adeus, professor!

Aos 100 anos de fundação do judô, repousou o grande irmão Hikari Kurachi.

Preces à sua alma.

MASSAO SHINOHARA

Judoca nascido na Alta Sorocabana

O senhor Massao Shinohara nasceu numa fazenda de café próxima à cidade de Presidente Prudente, região da Alta Sorocabana, no dia 7 de dezembro de 1924.

Seu pai, o senhor Jutsuichi, nasceu na província de Yamaguchi e imigrou para o Brasil com a ambição de ser um homem bem-sucedido. Massao era o segundo filho homem de oito irmãos. Como colono de um cafezal, a família desbravou o terreno e cultivou café. Há setenta anos, Presidente Prudente era a linha de frente de colonização, sem nada semelhante a um centro urbano, onde havia apenas a floresta virgem; era uma terra inculta ainda a ser colonizada. À oeste, corria o rio Paraná e, do outro lado, era o estado de Mato Grosso. Atravessando o rio Paranapanema pelo lado sul, ficava o estado do Paraná.

Eu vim ao Brasil em maio de 1964, e estudei na escola agrícola situada na periferia de Presidente Prudente. Eu que fui criado numa metrópole, recordo-me que fui tomado pelo sentimento de nostalgia contemplando as luzes da cidade e da escuridão do alojamento da escola agrícola. A Presidente Prudente dessa época era considerada uma grande cidade da Alta Sorocabana com uma população superior a 100 mil habitantes. Era um agrupamento onde viviam mais de 2 mil famílias *nikkeis*, incluindo a periferia. Ainda hoje, ao me referir à minha terra natal no Brasil, me vem à mente essa cidade de Presidente Prudente.

Apesar de trabalhar com bastante afinco, a vida de colono da família Shinohara era difícil; seu pai Jutsuichi tinha uma doença pulmonar e, depois de sofrer longo período de luta contra a doença, faleceu com menos de 50 anos. A família saiu da fazenda de café e mudou-se para Itapecerica da Serra, periferia de São Paulo. Ali trabalhou no cultivo de hortaliças e conseguiu se sustentar.

Quando criança, Massao era entusiasmado pelo kendo. Dos 7 aos 17 anos, dedicou-se às atividades agrícolas obrigatórias e ao kendo. Entretanto, com a eclosão da Segunda Guerra Mundial, o kendo foi proibido pelo governo brasileiro por ser uma arte marcial que faz uso da espada.

A guerra terminou e quando tudo voltou à normalidade, por sugestão do professor Kossakai da escola de língua japonesa vizinha, ele recebeu as primeiras aulas de judô. E foi rapidamente se envolvendo com o esporte.

À procura de um professor, conheceu o senhor Hashizume, professor de língua japonesa de Itapecerica da Serra, tomou-o como seu mestre e se dedicou ao treino. Posteriormente, frequentou a Academia Higuchi de Mogi das Cruzes e a Academia Tani de Jaraguá a fim de obter aulas. Além dele, recebeu orientação de muitos outros professores.

A grande virada para o senhor Massao Shinohara foi o encontro com o mestre Ryuzo Ogawa do Budokan em 1947. Totalmente conquistado pela ideologia do judô do senhor Ogawa, tornou-se imediatamente seu discípulo. Foi quando começou o verdadeiro treinamento de judô do Shinohara. De dia se esforçava na plantação de hortaliças e, ao entardecer, com o *judogui* debaixo dos braços, frequentava três vezes por semana a Academia Ogawa que ficava na rua Tomás de Lima, onde ele se dedicava aos treinos.

Casou-se em 1948 e nasceram, seguidamente, três meninas. O quarto filho foi um menino, Luiz Junichi. Em 1956, abandonou a agricultura e mudou-se para a Vila Sônia para trabalhar com caminhão de transportes da Cooperativa Agrícola de Cotia. Lá ele inaugurou oficialmente a Academia Vila Sônia. Nesse lugar nasceu mais uma menina e a família cresceu para sete membros.

Paralelamente ao seu trabalho, dedicava-se na orientação dos alunos; foi um modesto começo de uma pequena academia com apenas vinte tatamis e menos de dez alunos, entretanto, posteriormente, progrediu para uma grande academia de 120 tatamis.

Em 1977, o filho Luiz recebeu o 23º Prêmio Paulista de Esportes. Foi a premiação pelo reconhecimento de sua atuação como atleta. Em 1987, o pai Massao recebeu o mesmo prêmio da 32ª edição como benemérito da divulgação do judô, tornando-se a dupla pai e filho laureados pelo mesmo Prêmio Paulista.

Até o momento, só existem quatro grupos de pais e filhos que foram premiados. Soubei Tani e Kouki Tani, Matsuo Ogawa e Hatiro Ogawa, Chiaki Ishii, Chie Ishii e Yukie Ishii, além do citado Massao Shinohara e Luiz Shinohara. Todos são da família de judocas que parecem fazer do judô a sua razão de viver.

Eu, porém, acredito que aqueles que possuem uma razão de viver, isto é, algo como *life work*, só por isso já são vencedores na vida. Entre tanta gente que não consegue descobrir nenhum sentido nesta vida...

A alegria de viver de Massao Shinohara era o seu filho Luiz. Eu conheço bem o Luiz desde seu tempo de menino. Ele aparecia frequentemente no nosso treinamento rigoroso do Clube Pinheiros.

A técnica do Luiz era muito rápida. Da posição baixa vinha o golpe *uchi-mata* da esquerda com uma velocidade quase instantânea. Caso aparasse esse golpe, a combinação do *okuri-ashi-barai* com o *seoi-nague* da direita de surpresa era realmente um fantástico golpe de navalha. Contudo, tinha o ponto fraco de ficar sem ação ao ser empurrado insistentemente ou ao ser agarrado pela gola, devido ao seu pouco peso. Além disso, tinha problemas de resistência. Ao enfrentar lutadores como Anelson ou Mauro de Brasília, a velocidade, que era seu ponto forte, ficava bloqueada e amargava derrota. Contudo, se o adversário desconhecia a técnica do Luiz, o *uchi-mata* da esquerda manifestava sua tremenda força.

O técnico Okano, que acompanhou os inúmeros combates do Luiz nas lutas classificatórias, tomou a seguinte decisão:

– Ishii, vamos levar o Luiz para Alemanha. É para o futuro do judô brasileiro. Vamos excluir a categoria peso-pesado e mostrar uma competição mundial ao Luiz.

Assim, o jovem Luiz, de apenas 17 anos, foi escolhido para representar o Brasil no 7º Campeonato Mundial de Ludwigshafen na Alemanha Ocidental. No último dia da competição, ele foi derrotado pelo Kawasaki do Canadá na primeira rodada da categoria peso-leve. Contudo, dois anos depois, no Campeonato Mundial de Lausanne, avançou até a terceira rodada, fazendo o público vibrar. Nos campeonatos mundiais daquela época, cada país podia inscrever dois atletas em cada categoria. Nos Jogos Olímpicos era um atleta por país e era mais fácil se classificar. Em Lausanne, o Japão conquistou medalha de ouro em todas as categorias e estabeleceu uma vitória total.

Desde então, a atuação do Luiz foi espetacular. Em 1980, participou dos Jogos Olímpicos de Moscou; nas Olimpíadas de Los Angeles em 1984, foi derrotado pelo Mariani da Itália na decisão pelo 3º lugar, mesmo assim ficou em 5º lugar. Foi vice-campeão no Campeonato Mundial Estudantil de 1982 na Finlândia. Nos Jogos Pan-Americanos do México conquistou a vitória; foi, literalmente, um ás da categoria peso-ligeiro ao representar o Brasil.

Medalhista formado na Academia Vila Sônia

Os alunos da Academia Vila Sônia ficaram emocionados com o resultado da participação do Luiz nas Olimpíadas e nos campeonatos mundiais e se empenharam no treino. Todos ficaram fortes, mirando-se no exemplo do seu herói Luiz. Luiz Onmura, que conquistou a medalha de bronze na categoria 71 quilos das Olimpíadas de Los Angeles, seu irmão Nelson que venceu no Campeonato Sul-Americano, Tetsuo Fujisaka, bicampeão brasileiro na categoria peso-médio, Aurélio Miguel, medalha de ouro dos Jogos Olímpicos de Seul, Carlos Honorato, bicampeão no Campeonato Pan-Americano na categoria peso-médio e seu irmão mais novo Flávio e Rodolfo Yamayose são exemplos de excelentes jovens atletas que surgiram em profusão e construíram a época áurea da Academia Shinohara.

Os alunos ficam fortes imitando os professores e suas técnicas. Por isso, a maioria dos discípulos da Vila Sônia imitavam o Luiz e seguravam pela esquerda, sendo hábeis nos golpes de *uchi-mata* da esquerda e *seoi-nague* e *ashi-waza*. Todos os alunos da minha academia seguram pela direita e só usam *osoto-gari* e *ouchi-gari* que são as minhas habilidades.

O senhor Okano e meus amigos, ao observarem a luta das minhas filhas, me contam que elas se parecem muito comigo.

Eu mesmo aconselhei insistentemente a minha filha Chie a usar o golpe de esquerda, mas não obtive resultados. Em relação à minha filha caçula, quis forçá-la a usar o golpe de esquerda, porém, durante a luta, acabava voltando para a direita. Apesar de orientá-la dizendo que nas lutas internacionais segura-se principalmente pela esquerda e que era absolutamente mais eficaz, ela não alterava a sua forma de lutar.

De fato, o pai de Luiz, o senhor Massao, também segurava pela esquerda. Ele é um dos poucos 9º dan no Brasil e o seu filho é 6º dan. Nas Olimpíadas de Los Angeles, participaram dois dos seus discípulos. Ele conquistou três medalhas como técnico da equipe brasileira. O senhor Massao não é muito alto e não tem aparência de um judoca. É um japonês comum. Entretanto, a sua firmeza de caráter, o seu ânimo e o fabuloso dom de judoca foram transmitidos para o filho Luiz e seus discípulos.

Eu vi o combate do senhor Massao uma única vez. Foi na ocasião em que a Federação Paulista promoveu o campeonato dos veteranos. O senhor Massao enfrentou um dos meus companheiros, o gigante Eduardo Ticiane. Ninguém do público duvidava da vitória do grandalhão Eduardo. Entretanto, assim que fez o cumprimento, o senhor Massao puxou Eduardo com intensa força e aplicou o *seoi-nague* de esquerda com um *kiai*. Nesse instante, o corpanzil de Eduardo de 120 quilos tinha afundado no tatami. Foi um brilhante *ippon*. Todos ficaram admirados e os aplausos não cessaram por um longo tempo. Desde então, passei a me interessar pelo pai do Luiz, o senhor Massao. Quanto mais ouvia sobre ele, mais o achava admirável. Apesar de ter mais de 70 anos, ele diariamente veste o *judogui* e dá orientação aos discípulos. Além disso, como membro do corpo de juízes da Federação Paulista de Judô, sempre está presente nos campeonatos da Federação para fazer a arbitragem. Pertence também ao Conselho de Promoção de dan. Uma vez por semana, às segundas-feiras apresenta-se no treino intensivo da Federação para orientar o departamento de meninos e de meninas.

Após o falecimento do seu benfeitor, o mestre Ryuzo Ogawa do Budokan que fora o estopim da sua virada para o judô, apoiou o filho de Ryuzo Ogawa, Matsuo, e quando este faleceu, ajudou os filhos deste, Hatiro e Hitoshi, na celebração com grande pompa da 50ª edição da Festa do Budokan. Realmente, é a força que age silenciosamente nos bastidores, e tiro o chapéu para esta figura que se empenha nessa missão.

A academia de Vila Sônia tem um histórico de 40 anos. Ao entrar na academia, um grande número de troféus e taças estão enfileirados nas prateleiras do lado direito. Ao pensar que eram somente aqueles, fiquei espantado ao ver a montanha de troféus ainda mais esplêndidos de vários campeonatos, dispostos em uma caixa de vidro. Na minha academia também têm muitos, mas não chega aos pés da Vila Sônia.

Muito conhecida também na Academia Vila Sônia é a festa com churrasco de sardinha, chamada sardinhada. A sardinha é barata e saborosa, mas não é usual num churrasco à brasileira. Por isso mesmo reúne-se muita gente quando se faz churrasco de sardinha.

A Confederação Brasileira de Judô não recebe verba do governo para viagens ao exterior ou para participar dos campeonatos internacionais. Por isso, há muitos casos em que um atleta se classifica a duras penas nas eliminatórias, porém não tem condições de viajar por falta de patrocinadores. Para essas situações, os pais de alunos desta academia se preparam antecipadamente. Vendem não somente o churrasco de sardinha, mas também outros pratos como *sushi, udon, yakissoba*[1], além de rifa ou bingo para angariar fundos. Assim conseguem juntar dinheiro para as despesas de viagem dos atletas. Isso é possível devido à solidez

---

[1] Comidas típicas japonesas. (N.R.T.)

da associação de pais e mestres, fato pouco provável na minha academia. A explicação não é outra senão a profunda assimilação de orientação e entusiasmo pelo judô do senhor Massao por parte dos pais.

O senhor Massao sofreu um Acidente Vascular Cerebral (AVC) enquanto dava orientação na academia da Federação de Judô, mas se recuperou graças ao seu espírito combativo e à sua força de vontade. Sem nenhuma sequela, atualmente se dedica a ensinar judô. "Eu já não sou mais novo, por isso não sei até quando poderei dar treinamento, mas, enquanto meu físico permitir, quero continuar pelas crianças", assim relata.

É realmente uma pessoa de ouro. Não é dado ao luxo, mas faz lembrar uma espada japonesa forjada por um grande artesão.

SHUHEI OKANO

a Universidade Chuô é uma escola diferente. Somente a Faculdade de Direito é famosa, graças ao seu excepcional índice de aprovação no exame de habilitação para magistrado estatal. É uma universidade que tem suas peculiaridades, assim como o clube de judô possui muitas. Desde o passado, reúne pessoas astutas entre seus atletas. Muitos são de porte físico pequeno e bons estrategistas.

Na época do meu irmão mais velho, havia famosos estrategistas na Chuô, como os senhores Yoshisada Bungo e Kuniyuki Kasuga. Na minha era, também surgiram muitos bons técnicos como Hiroyuki Nakano, Issao Okano e Shinobu Sekine, que apesar de serem peso-médio, conquistaram o campeonato japonês, campeonato mundial e os Jogos Olímpicos. Por isso, na Universidade Chuô havia dois Okano. Questionaram-me se era o Okano da técnica ou o Okano da força hercúlea. A partir de agora vou escrever sobre o Okano da força hercúlea.

Trata-se do senhor Shuhei Okano, o restaurador do judô brasileiro. Ele nasceu em 20 de janeiro de 1938 em Hokkaido na cidade de Kushiro.

Sua família era a maior comerciante de tecido para judogui de Kushiro. Ele concluiu a Faculdade de Direito da Universidade Chuô em 1960 e trabalhou durante seis anos como funcionário das indústrias pesadas Otani. Em 1966, veio para o Brasil e foi admitido na empresa Sadokin Eletro Eletrônica. Depois de trabalhar por vários anos na construção de motores, se tornou presidente da afiliada Varginhas Montagens das CBC Indústrias Pesadas Mitsubishi no estado de Minas Gerais.

Além disso, vendeu peças de manutenção de máquinas e realizou coleta de resina de pinheiro.

Sua teoria de administração por três pernas consistia na ideia sólida de que se uma ficasse inutilizada as outras ajudariam[1].

Seu pai Sadaji foi uma pessoa que triunfou na vida por esforço próprio; vereador por cinco mandatos durante dezessete anos, foi condecorado pela prefeitura como político e benemérito educacional, sendo também um dos fundadores do Lions Clube de Kushiro. Foi um grande empreendedor, a ponto de fundar um Instituto Profissional Feminino chamado Midorigaoka Gakuen, com a finalidade de deter a sua filha que queria estudar em Tóquio, e para promover o desenvolvimento de sua cidade. Ele nasceu na província de Ishikawa e parece que seu sonho era emigrar para o Brasil. Em vez do Brasil, em 1916 emigrou sozinho para Hokkaido a fim de fazer fortuna. Ali teve sucesso vendendo tecidos para *judogui* nas minas de carvão, e abriu uma loja de tecidos, à época, na próspera cidade de Kushiro. Por esse motivo, anos mais tarde, quando seu filho, o senhor Shuhei Okano, manifestou o desejo de emigrar para o Brasil, seu pai concordou erguendo as mãos para o céu, pois seria alguém que iria realizar o seu sonho.

Eu e o senhor Okano temos diferença de quatro anos de idade, ele é o mais velho. No clube de judô da faculdade, a classe três anos a frente da nossa é a que nos deixa a impressão mais forte. Isso acontece porque eles são os alunos mais adiantados em relação aos calouros que batem à porta do clube. Os primeiranistas, completos ignorantes da situação, não tinham alternativa senão obedecê-los. "Rigor", "treinamento", "bullying", "tradição", todos foram disciplinados pelos quartanistas. Em função disso, para os primeiranistas, os quartanistas pareciam "deus" e "diabo" ao mesmo tempo. Também no caso de veteranos de outras escolas até o quarto ano, eles podiam receber treinamento na academia da Kodokan ou no Departamento de Polícia Metropolitana, além de poderem assistir lutas e continuarem bons companheiros de adversários

---

[1] Shuhei Okano acreditava que um empresário deveria ter 3 ramos de atividades diferentes. Caso uma tivesse problemas, teria ainda outras duas para dar sustentação. (N.R.T.)

de combates mensais da Kodokan ou de torneios entre equipes vermelho e branco.

Quando eu entrei para Universidade de Waseda, o senhor Okano já concluíra a faculdade e tinha sido contratado pela renomada empresa da região de Kansai, as Indústrias Pesadas Otani, e se mudado para Amagasaki. Por essa razão, nunca recebi orientação direta nos treinos coletivos da faculdade em Tóquio ou na Kodokan, tampouco lutei com ele. Apenas já ouvira falar de sua grande reputação como "Okano, a Força Hercúlea do Chuô". Eu era quartanista da Waseda quando ele derrotou a invencível Universidade Meiji no Campeonato Estudantil de Tóquio, mas na decisão perdeu por pouco da Universidade Nihon.

Após ser classificado em terceiro lugar no Campeonato Japonês Estudantil, adquiriu autoconfiança e escolheu a região Kansai como destino de viagem para seu treino de verão. Naquela época, em Kansai, aglomeravam-se instituições influentes a exemplo da Universidade Tenri, Universidade de Kansai, Fujitetsu Hirohata, Toyo Rayon, Indústrias Pesadas Otani, Polícia de Osaka e Polícia da Província de Hyogo, entre outros. Cada universidade de Tóquio tinha também a seguinte tradição: a viagem de treino para Kansai seria realizada no verão quando a capacidade estivesse na sua plenitude, e para regiões de Tohoku, Hokkaido ou Hokuriku nos momentos fracos. Nessas viagens anda-se diariamente de trem para realizar lutas. Com o cronograma montado para passar todo o primeiro dia em Kyoto, o segundo em Osaka, o terceiro em Hyogo e o último dia em Shiga, nossa equipe de Waseda encarou a viagem de treino para Kansai. As lutas dessas viagens são combates de pontuação de 25 lutadores. Após vencer todos em Kyoto e perder para quase todos em Osaka, enfrentamos todos em Hyogo.

Nessa época, dizia-se que Waseda estava na segunda era pós-guerra de ouro e, apesar de ter deixado escapar a vitória nacional, contava com dezesseis pessoas de 4º dan e os demais eram 3º dan. Os treinos diários ficavam lotados com uma centena de associados e visitantes, o que gerava muita animação. Era um período de grande entusiasmo, pois no Campeonato Estudantil de Tóquio a Universidade Waseda havia derrotado a Universidade Meiji, cujos cinco judocas (o trio monstro do judô Seiji

Sakaguchi, Tadashi Yamamoto e Katsuji Seki, além de Murai e Ishihara) estavam selecionados para participar do campeonato japonês.

Enfrentamos todos de Hyogo cantando vitória antecipadamente. Porém, eles eram mais fortes que todos de Osaka. Os membros consolidados na Fujitetsu Hirohata, Indústrias Pesadas Otani e Universidade Kansai Gakuin demoliram a espinha dorsal da Waseda e eu consegui a custo um empate na terceira luta. Quem saiu como vice-capitão de todo Hyogo foi o forçudo Okano.

O vice-capitão da Waseda era Yassu Kataoka que fez fama após arremessar Seiji Sakaguchi (ex-presidente da Luta Livre de Tóquio) com *ippon-seoi*, no campeonato de Tóquio. Todo pessoal da Waseda acreditava na vitória de Kataoka e não tinha dúvidas quanto a isso. Mal fez o cumprimento, Kataoka segurou o adversário e atacou com o seu forte *uchi-mata*. Okano nem se mexeu. Após lutarem por um tempo, Kataoka o atraiu novamente para o seu forte *ne-waza*. Okano inclinou-se sobre ele. Kataoka era hábil no *shime* por baixo, e após prender o oponente com *kami-shiho gatame*, sabia como derrubá-lo com habilidade aplicando o *gyakujuji* por baixo. Era o padrão costumeiro. A turma da Waseda aguardava aflita o momento do Okano cair e entregar os pontos. Entretanto, o árbitro declarou o *osaekomi* e, ao contrário do que se esperava, Kataoka acabou desistindo.

Este foi o meu primeiro encontro com o senhor Okano.

Mais tarde, Kataoka se lamentou: "Aquele tal de Okano é um monstro. Na maioria dos casos é possível aplicar o estrangulamento naquela posição, no entanto, por mais que o fizesse ele nem se abalava. Foi a primeira vez que enfrentei um lutador tão extraordinário".

Soube, mais tarde, que aquele era o famoso Okano de força hercúlea, fez nome entre o judô empresarial, atuou também nos torneios leste-oeste e campeonatos nacionais, sendo laureado várias vezes com o prêmio de melhor atleta.

Reencontro em São Paulo

Reencontrei com o senhor Okano três anos depois. O local foi a Academia D. Pedro em São Paulo. No primeiro treino, nós nos enfrentamos com força total. Os primeiros dez minutos não foram suficientes, por isso houve uma prorrogação de quinze minutos e acabou se tornando um treino de vida ou morte. Mesmo assim, a luta não teve um vencedor e ficou adiada para o dia seguinte.

Desde então, eu passei a estimar o senhor Okano como se fosse meu irmão mais velho e juntos nos dedicamos ao progresso do judô brasileiro durante trinta anos. Creio que a diferença básica entre eu e o senhor Okano é a forma de resolver os problemas. Eu ataco antes e penso depois, enquanto que o senhor Okano planeja meticulosamente e age após ter perspectiva de sucesso. Para tanto, ele prepara bem o terreno e ataca de vários ângulos. Eu ajo de maneira muito direta em tudo que faço.

Eu vejo essa diferença do seguinte modo. O senhor Okano experimentou a vida de assalariado durante seis anos no Japão após concluir a faculdade. Veio ao Brasil após trabalhar em RH. Por essa razão, tinha estudado profundamente a organização da empresa, as regras da sociedade e o diálogo entre as pessoas. Eu sou do tipo apressado que embarcou no navio de imigrantes no dia seguinte à formatura sem nenhuma experiência como cidadão responsável da sociedade japonesa. Por esse motivo, mesmo pertencendo à comunidade *nikkei* no Brasil, não prestava atenção nenhuma às regras de casamentos ou enterros, relacionamentos sociais, modo de beber saquê e convívio social. Somente depois que me casei, aprendi tudo isso com minha esposa.

Portanto, eu e o senhor Okano somos como fogo e água ou sol e lua. No entanto, apesar da diferença no modo de pensar, somos ligados pelo mesmo espírito de amor ao judô e somos amigos até hoje.

Reerguemos a Associação Brasileira dos Faixas Pretas da Kodokan que se encontrava abandonada, alinhamos o sistema de dan do Brasil ao da Kodokan unificando-o; a transferência de seu controle à Federação Paulista de Judô foi também mérito do senhor Okano. Ele criou ainda o treinamento intensivo semanal que continuou por dez anos, ensinando aos brasileiros a técnica de *uchi-komi* e métodos de treinamento, incutindo neles o ensinamento de que não há vitória sem prática.

Até então, cada academia treinava individualmente e aquele que vencia nos campeonatos adquiria o direito de participar de lutas brasileiras e internacionais. Este passou a ser escolhido por uma comissão seletiva que fazia a seleção entre os frequentadores mais assíduos nos treinos coletivos de todo o estado de São Paulo.

O treino coletivo foi sendo aperfeiçoado, aumentando de uma vez por semana para duas vezes, e os lutadores de judô passaram a ter conhecimento de que não poderiam vencer se não participassem dos treinamentos intensivos. Essa decisão aboliu a estupidez do lutador de participar nas lutas treinando apenas por lazer na sua própria academia, como era até então. Eu mesmo compreendi que não poderia vencer treinando apenas na minha academia e passei a frequentar ativamente os treinamentos intensivos, e suportei o treino rigoroso sacrificando os sábados e domingos. Este método de treinamento prosseguiu por vinte anos, foi adotado pela Confederação Brasileira de Judô e é executado ainda hoje. Graças a esse treinamento, tem-se formado muitos bons atletas.

A equipe paulista obteve vitória esmagadora no Campeonato Brasileiro e o senhor Okano, a convite da Confederação Brasileira de Judô, passou a exercer o cargo de técnico do time nacional. Normalmente, nos primeiros quatro a cinco anos após ter imigrado, só se consegue sobreviver. Não há indivíduo que se preocupe com outros ou que deixe de lado o seu serviço para ser técnico ou treinador intensivo. Entretanto, o senhor Okano me acompanhou no judô. Só posso pensar que foi com o objetivo de me ver vitorioso. Posso compreender isso pelo fato de ele ter deixado o cargo de técnico e passado a se dedicar ao trabalho quando eu me retirei da vida de atleta. Se acaso Okano não existisse, com certeza eu não teria conquistado o direito de ser um atleta internacional nem a medalha olímpica de bronze.

O atleta e o técnico estão unidos pela relação de confiança. Se não for assim, é impossível vencer. Seja como for, para realizar um feito inédito é preciso fazer algo extraordinário. Se alguém der o exemplo, basta imitar e fazer o mesmo. É como o Ovo de Colombo. Para criar precedente e a confiança de que o Brasil pode vencer no mundo, eu e o senhor Okano sofremos para instruir os atletas brasileiros. Derrubamos o complexo de que não poderiam vencer a Ásia (Japão e Coreia) e a Europa (França, Alemanha e antiga União Soviética). Demos a confiança e o objetivo de que poderiam vencer se passassem a lutar como eu e Okano.

Nós dois saímos de viagem após o término do 7º Campeonato Mundial de Judô na Alemanha Ocidental.

– Ishii, vamos visitar o local das Olimpíadas do próximo ano. Que tal passarmos por Munique e voltar após visitar a Suíça?

– Ótima ideia! Vamos!

No trem, ele estava cabisbaixo.

Aconteceu algo? Parece triste.

– Para falar a verdade, meu pai faleceu pouco antes de virmos para cá. Você que é feliz. Realizou seu sonho e seu pai deve estar muito contente no Japão. Se meu pai também estivesse vivo, com certeza ele iria ficar muito feliz com o meu feito e sorrir dizendo: "Shuhei, muito bem! Parabéns pelo esforço!" Mas, morto, nem posso lhe relatar. Quando ganhei o prêmio de melhor atleta no Campeonato Japonês de Grupo Empresarial me telefonou parabenizando. E ao receber o prêmio de combatividade no Torneio Japonês Leste-Oeste, veio especialmente a Tóquio para me ver e até me deu uns trocados. Eu vim me dedicando ao judô como forma de alegrar o meu pai.

– É verdade. Acontece o mesmo comigo; quem mais se alegra com minha medalha de bronze deve ser o meu pai. Minha esposa também fica contente por mim, mas sou feliz só de imaginar o rosto satisfeito do meu pai. Um homem se esforça e suporta treinos rigorosos por aquele que se alegra verdadeiramente por ele... Senhor Okano, vamos voltar daqui mesmo para o Japão? Dará tempo para a missa de 49 dias[2] do seu pai.

– Não adianta voltar. Meu pai já não está mais lá...

Eu nunca havia visto a imagem do senhor Okano tão triste como naquele momento. O enorme físico de 137 quilos parecia de uma criança.

---

[2] Missa tradicional da cultura japonesa. (N.R.T.)

Neste campeonato fiquei admirado com o círculo de relacionamento do senhor Okano. O líder da equipe japonesa, professor Hamano, o técnico Kaminaga, o treinador Inokuma, o árbitro Yasuichi Matsumoto, todos se dirigiam ao senhor Okano:

– Ei, Okano, está vivo?

– Como? Está em São Paulo? Você também vai participar?

– Não vou mais levar um *ura-nague* do forçudo Okano!

Onde quer que fosse, ele era querido. Através do senhor Okano pude me aproximar do senhor Kaminaga e do senhor Inokuma, que antes me pareciam pessoas inatingíveis. Foi graças ao relacionamento do senhor Okano que fui recebido pelo time japonês que antes me ignorava quando eu participava pelo time brasileiro, e me permitiram até treinar. Sem dinheiro, a equipe brasileira se hospedava em um hotel da periferia e ia até o estádio de ônibus; enquanto isso, o time japonês ficava em um hotel cinco estrelas com serviço de táxi para leva-los e trazê-los de volta.

– Ishii, vamos ficar fortes logo e ser como os judocas japoneses, não é?

– Vou me esforçar!

Brincando assim, eu e o senhor Okano viemos lutando juntos para promover o nome do judô brasileiro; duas vezes no campeonato sul-americano, duas vezes nos Jogos Pan-Americanos, duas vezes no campeonato mundial e nos Jogos Olímpicos.

Seguem-se os inúmeros episódios ocorridos até os Jogos Olímpicos de Munique do ano seguinte.

Ensinando o rigor através da força dos argumentos

O ensinamento do senhor Okano era rigoroso e não condizia com seu físico enorme. Ele preencheu o caderno universitário com anotações sobre a luta dos atletas representantes do Brasil nos Jogos Pan-Americanos, no Campeonato Sul-Americano do ano anterior e no Campeonato Mundial.

– Ishii, na próxima luta com Sato, segure a mão direita por baixo. Quando ele vem com *tai otoshi*, vem trazendo de baixo para cima. Não deixe ele dar o contragolpe de forma nenhuma. Pois ele é eficiente no *ne-waza*...

– Shiozawa, tome cuidado com *kossoto gari* no combate contra o Jaques. No momento que apanhar a mão esquerda, vem o *kouchi gari* da direita... nesse instante solte a mão.

Dava verdadeiras instruções, precisas e adequadas.

Nas Olimpíadas não havia problema, pois os representantes eram apenas eu e o Shiozawa, mas, nos campeonatos mundiais, eram duas pessoas de cada classe, totalizando quatorze atletas, o que deve ter demandado muito trabalho.

Creio que eu fui feliz conseguindo um ótimo guia. Costumava comentar isso com Shiozawa.

Antes das Olimpíadas, como únicos representantes do Brasil, eu e Shiozawa fazíamos treinos especiais na Academia de Polícia de Kudan em Tóquio pela manhã, e na Kodokan à tarde. Ambos estávamos preocupados com a identidade do técnico do judô brasileiro nas Olimpíadas. Comentávamos que, se fosse alguém que nada entendesse de judô, dizendo o que quisesse, poderíamos desistir de participar e retornar ao Brasil. Pedi a Shiozawa que enviasse um telegrama com o seguinte teor: "Não posso lutar sem a presença do senhor Okano". Antes de mandar o telegrama foi decidida a escolha do senhor Okano para técnico. Em seguida, chegou o telegrama: "Sigam para Munique!" Nós fomos exultantes para lá.

O senhor Okano, quando o encontramos na Vila Olímpica, parecia o próprio diabo.

– Ishii, corra durante duas horas, já! Quinhentas flexões de braço, 500 *uchi-komi*...

– Senhor, é sério?

– O que vocês estavam fazendo no Japão? Ishii, qual é o seu peso agora?

–105 quilos.

– Reduza imediatamente! Reduza para 93 quilos durante esta semana de qualquer maneira!

– É impossível!

– Não é. A partir de amanhã não fará refeições... Não coma até perder peso.

– Por favor, seja tolerante.

– Não brinque!

Assim começou o treino especial. Todos os dias perdia 5 quilos, bebia 4 litros de cerveja e, ao subir na balança, só tinha perdido 1 quilo. Afinal fui descoberto e passei por apuros, mas, enfim, no último dia passei na pesagem com diferença de 200 gramas.

O representante do Japão, Sasahara, teve diarreia e emagreceu até chegar aos 88 quilos, se apresentando em péssimas condições. Creio que esse fato o levou ao erro no combate contra Chochoshibiri na primeira rodada. Tanto eu quanto Shiozawa estávamos com ótimo condicionamento físico, graças ao técnico Okano. O resultado foi minha medalha de bronze e o 5º lugar do Shiozawa. Com essa conquista nós dois fizemos soprar novos ventos no judô brasileiro. Depois de construídos os trilhos, qualquer um poderia seguir correndo sobre eles.

– Ishii, vamos criar um medalhista olímpico de ouro no Brasil e devolver o favor para o Japão. O que motivou a nossa existência até agora foi o judô. Não é verdade? Foi através do judô que construímos a resistência e o caráter superior nos alunos... Devemos ao judô. Por isso, estou devolvendo esse favor. Gostaria de chamar o campeonato mundial para São Paulo. Para isso precisamos treinar mais jovens...

– Vamos fundar a Faculdade de Judô em São Paulo.

– A razão do fortalecimento do judô na Coréia do Sul foi a criação da Faculdade de Judô...

O sonho de criar um medalhista de ouro foi realizado pelo Aurélio Miguel nos Jogos Olímpicos de Seul. Rogério Sampaio também conquistou a medalha de ouro nas Olimpíadas de Barcelona.

O sonho de Aurélio Miguel era grande.

Em 1995, como um dos eventos comemorativos do centenário do Tratado de Amizade Japão-Brasil, convidou ao Brasil a seleção do grupo empresarial japonês composta de vinte membros. O campeonato realizado no Ginásio do Ibirapuera foi um sucesso. A luta terminou com vitória esmagadora do Japão. O combate entre a atração Aurélio Miguel e Katsuhiko Akiyama, campeão do grupo empresarial japonês na categoria 95 quilos, terminou com a derrota humilhante de Aurélio Miguel com *ippon-seoi* do Akiyama. Observando Akiyama exultante com a vitória, pensei: "No passado, o atleta japonês era o lobo e o atleta brasileiro um cordeirinho". Imaginava quantos minutos ele aguentaria. Agora chegamos à época em que um campeão japonês pula de alegria ao vencer um atleta brasileiro... Naquele momento refleti profundamente como o judô brasileiro tinha evoluído.

Depois que o Campeonato no Ibirapuera tinha terminado e o público tinha ido embora, a figura solitária do senhor Okano em pé, no centro da área reservada às autoridades em meio à plateia, me deixou impressionado, não sei por qual motivo. Em que o senhor Okano estaria pensando sozinho após cumprir sua grande missão e ter encerrado o campeonato com sucesso? Seria sobre a notícia que daria ao seu falecido pai? Ou estaria pensando nos irmãos e amigos da terra natal?

Shuhei Okano foi realmente a figura principal na internacionalização do judô brasileiro, e talvez tenha sido a mão divina que nos fez trabalhar neste solo em prol do judô brasileiro. Eu me orgulho da sua existência. Ainda hoje é o meu maior amigo.

O artigo a seguir sobre o senhor Okano não é da minha autoria. Em 1998, em comemoração aos 90 anos de imigração japonesa no Brasil, o jornal *Hokkaido* publicou uma série de artigos intitulada "Viva, Dossanko[3]!", cujo teor eram as reportagens feitas com os descendentes daquela região. Entre elas, havia um artigo sobre o senhor Okano que eu gostaria de reproduzir.

---

[3] Pessoas nascidas na província de Hokaido. (N.R.T.)

DO JORNAL HOKKAIDO

"Viva, Dossanko!" 90 anos de imigração japonesa no Brasil[4]

Senhor Shuhei Okano

– Ishii, vamos criar um medalhista de ouro no Brasil com as nossas mãos e devolver o favor para o Japão.

Um ano antes das Olimpíadas de Munique em 1972, Shuhei Okano (60), técnico do time nacional brasileiro de judô, natural de Kushiro, e seu discípulo naturalizado brasileiro, o atleta Chiaki Ishii (55), natural de Ashikaga, província de Tochigui, assim juraram mutuamente na academia de São Paulo.

Um ano depois, em Munique, o atleta Ishii enfrentou com todas suas forças os fortes adversários do mundo e conquistou a medalha de bronze na categoria peso-meio-pesado. Foi a primeira medalha do Brasil na modalidade de judô.

"Viva, Brasil!", "Viva, Japão!". O país inteiro vibrou com a façanha.

Após concluir o Colégio Kounan de Kushiro, o senhor Okano estudou na Universidade Chuô e foi vice-capitão do clube de judô, 6º dan da Kodokan. Conhecido como "Okano de força hercúlea", recebeu o prêmio de melhor atleta no Torneio Japonês Estudantil Leste-Oeste e atuou também no grupo empresarial. Imigrou para o

---

[4] Este projeto, "Viva, Dossanko!", sob responsabilidade do senhor Washington Shinichiro Sakikawa, foi publicado em seis edições consecutivas, e trata de descendentes atuantes do jornal *Hokkaido*, entretanto somente as partes referentes ao judô do senhor Okano e do senhor Ishii foram destacadas. Reproduzido do artigo publicado no jornal *São Paulo–Shimbun* em 6 de agosto de 1998.

Brasil em 1966 trazendo o sonho de divulgar o judô da Kodokan pelo mundo.

Com base em São Paulo, organizou o judô e impôs aos atletas um treino rigorosíssimo sob o lema "alcance e ultrapasse o mundo". Foi nessa época que passou a ser chamado de "Okano, o Diabo".

Graças a ele, o judô brasileiro atingiu o nível internacional, conquistando uma medalha de prata e duas de bronze nos Jogos Olímpicos de Los Angeles. Nas Olimpíadas de Seul e de Barcelona, finalmente, colocou as mãos na tão almejada medalha de ouro. O segredo de ter se tornado um país tão forte a ponto de impor medo no Japão em tão pouco tempo, não é somente o treinamento intenso. O senhor Okano relata que a tendência internacional era grande.

"Absorver a rotina e a cultura de outros países, além do caráter positivo do povo, este é o caminho para o desenvolvimento pessoal." Ele conta que os brasileiros a quem ensinou o judô ficaram fortes porque foram treinados pela cultura de imigrantes e possuíam o caráter internacional inato.

O outro lado dessa moeda é: "Somente a honestidade, diligência e perseverança do povo japonês não é válido no cenário internacional." A depressão econômica do Japão e o padrão internacional de sua terra natal, Hokkaido, se refletem insatisfatoriamente aos olhos do senhor Okano.

"Em Hokkaido há neve e produtos marítimos em abundância, e no Brasil existe o sol e terra fértil. Deve ser possível encontrar um modo de suprir mutuamente suas insuficiências mesmo no aspecto econômico, porém há muita falta de vontade." A população de praticantes de judô no Brasil é atualmente de 1 milhão de pessoas. A imensa flor do esporte que o senhor Okano fez florescer é também um incentivo para a terra natal.

Passaram-se noventa anos desde a chegada do primeiro navio de imigrantes japoneses, Kassato Maru. Os descendentes de Hokkaido que deitaram raízes no Brasil desbravaram a mata virgem e cultivaram a terra. Agora é o tempo da segunda e da terceira geração, mas corre viva em suas veias a nostalgia por Hokkaido e o espírito desbravador. Aqui nesta terra eu reflito sobre Brasil e Hokkaido, enquanto apresento um poema repleto de saudades da terra natal, o *tanka*, sobre os descendentes de Hokkaido que imigraram antes da guerra.

Usiminas – Usinas Siderúrgicas de Minas Gerais

Muitas vezes, a experiência mais dolorosa de um ser humano acaba se transformando na lembrança mais saudosa e feliz de sua vida na velhice. Isto significa que, ao olhar para trás, a época mais dura e difícil foi seu tempo de mocidade. Quer dizer que a alma dessa pessoa foi forjada nesse período.

Desmobilizado após a guerra, frequentemente com lágrimas nos olhos, meu pai me pegava no colo e cantava para mim que nascera enquanto ele servia à Pátria, a música "Cingapura he ichiban nori". Quando chegava ao trecho "Manhã na cidade de Cingapura, onde eu entro neste instante trazendo nos braços os ossos" a voz ficava chorosa. Aos meus olhos de criança, era inexplicável o fato de meu pai derramar lágrimas ao cantar essa canção.

Anos mais tarde, quando meu pai veio ao Brasil, narrou pouco a pouco para mim, já adulto, a dor e o sofrimento que passou durante a "Estratégia Malásia" e a "Estratégia da Tomada de Cingapura", e a tristeza de perder um amigo de guerra. Naquele instante, compreendi num átimo o sentimento do meu pai ao cantar aquela música.

Eu escrevo esse fato porque, na última parte que ornamenta o final do livro de pioneiros do judô brasileiro, gostaria de fazer um relato sobre o Clube de Judô Ipatinga da Usiminas que progrediu devido ao singular suporte empresarial, um acontecimento inédito na história do judô brasileiro.

Procedendo a leitura de *História de Usiminas*, da autoria do senhor Yasuzo Nakagawa e que eu tomei emprestado do senhor Kagayama, da

Associação Ipatinga de São Paulo, e um dos fundadores de Usiminas, encontramos o registro dos homens que construíram a Usinas Siderúrgicas de Minas Gerais.

Eu me emocionei com a leitura desse livro e telefonei para os membros da Associação Ipatinga da redondeza, manifestando com sinceridade toda minha admiração. Eu compreendi porque as pessoas da Associação Ipatinga mantêm laços de coleguismo, mesmo após se desligarem da Usiminas; porque se reúnem algumas vezes por ano e organizam eventos de boas-vindas quando chega uma visita da Shin Nittetsu do Japão, e ao final todos cantam abraçados a Canção de Ipatinga com lágrimas nos olhos.

A construção da Usiminas, uma empresa brasileira com capital japonês, foi o pontapé inicial da ajuda financeira do Japão ao exterior, após a guerra. Com base nas três maiores empresas japonesas no ramo de mineração de ferro, foi construída a mais moderna usina siderúrgica no sertão do Triângulo Mineiro. A Ipatinga, distante 200 quilômetros em linha reta da capital mineira Belo Horizonte, era um lugar inóspito cuja viagem de trem, que passava apenas uma vez por dia, levava doze horas e de carro levava cerca de nove a dez horas em estrada lamacenta, sem falar no local de obras que mais parecia um sertão nunca antes pisado pelo homem.

Ali chegaram os técnicos de elite selecionados pelas empresas Yawata, Fuji e Nippon Kokan e começou a luta árdua.

Cortaram e derrubaram a mata coberta de sapé que ultrapassava dois metros de altura, abriram estradas, construíram a cidade e fundaram a maior usina siderúrgica da América do Sul, cuja tecnologia a ser utilizada era a mais moderna do mundo.

Após superar a diferença de costumes e de idioma, a inflação maligna do Brasil, o contraste da natureza do povo e muitas outras dificuldades, foi inaugurado o forno de fundição em outubro de 1962.

A produção foi ascendente, provocando aumento do número de funcionários enviados pelo Japão; a fim de proporcionar alegria à vida sem diversão de Ipatinga, dois moços enviados pela Yawata Seitetsu e graduados da Faculdade de Direito da Universidade de Tóquio, onde eram ativos no clube de judô, o 3º dan Koremassa Anami e 3º dan Keiichi Tajiri, estenderam a serragem na área posterior dos alojamentos da firma, cobriram com uma lona e assim nasceu o clube de judô com academia ao ar livre. Foi para satisfazer o pedido de funcionários enviados que desejavam que fosse dado algum tipo de educação e disciplina do tipo nipônico a seus filhos.

Ensinando *ukemi* para menos de dez crianças, começou o Clube de Judô de Ipatinga.

Pouco a pouco o círculo de judô foi se expandindo com a entrada também de crianças brasileiras que, curiosos com a novidade, vinham todos os dias para assistir os treinos. Depois de algum tempo, vieram adultos querendo aprender judô e de uma hora para outra o número de alunos aumentou para quase 50 pessoas.

Passou a ser necessária uma academia de verdade; mandaram vir tatamis de São Paulo e em vez de mola para colocar debaixo deles, foram usados pneus velhos de automóvel. Com a instalação até de um altar xintoísta, ficou pronta a formidável academia de 50 tatamis.

O apoio empresarial

Incluindo a participação de faixas pretas de judô da colônia *nikkei* contratados na região, o número de alunos foi aumentando dia a dia. Assim nasceu o Usipa Clube do Brasil, o primeiro clube no Brasil com apoio empresarial. Nessa época, a fusão entre empresas estava se intensificando, e, com a fusão entre Yawata e Fujitetsu, nasceu a Shin Nittetsu, a maior empresa siderúrgica do mundo. Como resultado natural, a Usiminas coligou-se ao Shin Nittetsu e se tornou uma empresa nipo-brasileira com capital estrangeiro.

O primeiro presidente da Shin Nittetsu foi o senhor Shigeo Nagano, vindo da Fujitetsu. Ele era um veterano destacado no judô do Okayama Rokkou que fez ressoar sua fama e a do seu irmão no antigo Colégio Profissional, sendo chamados de "Os irmãos Nagano", inclusive no clube de judô da Universidade Teikoku de Tóquio.

A fusão da Fujitetsu e Yawata tinha dupla vantagem, pois a Fujitetsu era famosa no judô empresarial e o presidente da Shin Nittetsu era amante desse esporte. Os capitães e os melhores pontuadores das renomadas universidades de todo país foram contratados em massa pela Shin Nittetsu.

Uma das razões para treinarmos judô arduamente nos tempos estudantis era o desejo de trabalhar em uma grande empresa; para isso, durante os quatro anos de faculdade, dedicávamos-nos exclusivamente ao esporte para ter o nome reconhecido, com objetivo de ser contratado por uma empresa de primeira categoria por indicação do clube de esportes. Com o cartão de visitas da Shin Nittetsu, teríamos passe livre em todo lugar. Quer dizer, se não conseguir através dos estudos, tente através do esporte.

Contudo, os senhores Anami e Tajiri, formados pela Faculdade de Direito da Universidade de Tóquio, onde praticavam o judô, eram bons tanto nos estudos como nos esportes, de forma que eram a elite entre a elite e tinham um futuro promissor na Siderúrgica Yawata. Eles foram enviados para a Usiminas com o primeiro projeto de ajuda financeira ao exterior pós-guerra inaugurado em 1961. Foi um verdadeiro espírito de pioneirismo. Eles gostariam de fazer algo útil no exterior. Penetraram sozinhos no cerrado brasileiro trazendo esse sonho dos jovens nipônicos, abriram a mata, e se entregaram à construção da maior usina siderúrgica da América do Sul. Nesse ínterim, plantaram a cultura japonesa chamada judô no meio do mato da Usipa.

O capitão Keiichi Tajiri, deliberadamente, pôs-se à frente e, como atleta, representou dignamente o Clube Ipatinga e obteve vitória no Campeonato de Minas Gerais na categoria livre. No combate por equipe, atuou como figura central nas três vitórias consecutivas, em 1961, 1962 e 1963. Através da vitória conquistada após o período de concentração de três semanas antes do campeonato, com treino intensivo durante a noite e o dia, nasceu a confiança geral de terem vencido o torneio graças à sua força interna, e daquele momento em diante esse sentimento se tornou o âmago do Clube de Ipatinga. Em junho daquele ano foi concluída a nova academia de judô de 50 tatamis, com cobertura de madeira e o número de membros subiu para 100 pessoas.

Naquela época, o clube de judô da Usiminas contava com o 3º dan Anami, como presidente, o 4º dan Iwabune, como técnico, o 3º dan Tajiri, como capitão, o 4º dan Soichi Sato, como treinador; além disso, reunia lutadores ilustres da colônia *nikkei* como Tadashi Kuwatsuru, Kunie Tani, Muneyuki Funada, Iwao Furuta, Júlio Yamashita, Shigueru Yoshioka, Shitoku Sakihama, Yoshio Shimogata, Kaneo Yoshimura e Katsumi Arikawa. Todas as noites, após o término do treino, eles bebiam saquê e cantavam aos berros canções como "Mouko hourou no uta", "Bazoku no uta" e "Ipatinga Blues". Dos sentimentos como sofrimento, dor, solidão e saudades da terra natal, nasceu a amizade e a união entre os homens, e o espírito de união semelhante ao senso de companheirismo entre soldados de guerra se tornou a característica do Clube de Judô de Ipatinga.

Durante a assembleia para decidir o fim da guerra a fim de defender a estrutura política do Japão, realizada na presença do Imperador, o chefe Anami, como último Ministro do Exército Imperial daquele país, insistiu que a batalha decisiva fosse travada na ilha principal. Era filho do general Korechika Anami, apelidado de "Tokusho", que discutiu veementemente com o Ministro da Marinha Mitsumassa Yonai. Sem conseguir impor o ponto de vista inflexível do Exército, no dia 14 de agosto, quando foi decidida a aceitação da declaração de Potsdam, arcou com toda responsabilidade pela derrota das tropas do Exército e se suicidou fazendo *haraquiri*[5], deixando as seguintes palavras: "Com a minha morte, peço perdão pelo enorme crime".

Eu aprecio muito histórias de guerra e, desde criança tenho lido muitas devido à influência do meu pai, e fiquei especialmente comovido com a vida de Issoroku Yamamoto da Marinha e do general Korechika Anami do Exército.

Sem perceber minimamente que Koremassa Anami da Usipa era filho do Ministro Anami, havia me aproximado dele inúmeras vezes.

---

[5] Técnica japonesa de suicídio. (N.R.T.)

Um dia, me contaram sobre esse fato e senti uma forte admiração pelo senhor Anami, então vice-presidente da Shin Nittetsu. Eles que são a elite das elites, formandos pela Universidade de Tóquio, que ao se referir à "Usiminas" saltam de alegria como se fossem crianças. Percebo que a construção de Usiminas deve ter sido uma dura empreitada impossível de ser narrada em palavras.

Os senhores Anami e Tajiri experimentaram inúmeras dificuldades e sofrimentos como se tivessem ido para a guerra, e creio que dessa experiência nasceu um relacionamento semelhante aos dos amigos de combate de guerra com os companheiros de trabalho contratados no Brasil.

Eu também conheço muitas pessoas da colônia japonesa que participaram da construção da Siderúrgica Usiminas. Entre os companheiros com quem lutei judô estão Mitsugui Iwafune, Kunie Tani, Tadashi Kuwatsuru, Muneyuki Funada e Shigueru Yoshioka, judocas de quem tive oportunidade de me aproximar. Com o senhor Tajiri, eu não era apenas companheiro de judô, mas também um velho amigo de sumô, e houve uma ocasião em que ele, o gerente da Shin Nittetsu no Rio de Janeiro, dirigindo um Galaxy, na época considerado o melhor carro do Brasil, acorreu ao Campeonato Brasileiro de Sumô e usando somente o *mawashi*[6], lutou com todas suas forças pela Usiminas, o que me causou muita emoção. Senti algo mais do que um simples gosto pelas lutas marciais, senti uma espécie de heroísmo a fim de cumprir sua missão.

Tão logo foi criada a Shin Nittetsu com a fusão da Yawata e Fujitetsu, em fins de março de 1970, a dupla Anami e Tajiri chamou ao Brasil o senhor Akio Kaminaga, do judô, e o senhor Toshiaki Kurosa, da Shin Nittetsu, e construíram um novo ginásio de esportes, uma piscina olímpica de 50 metros e assinaram um acordo para contratar um treinador.

O primeiro treinador de judô foi o 5º dan Shuji Suma (capitão do clube de judô da Universidade Meiji, atual funcionário da Shin Nittetsu), o gênio de judô que se sagrara campeão mundial no Campeonato Mundial do México na categoria peso-pesado. A natação teve

---

[6] Vestimenta para lutar judô. (N.R.T.)

como treinador o senhor Kurosa, que treinou a medalhista olímpica de nado costas, Satoko Tanaka, mas após um ano e meio foi sucedido por um treinador brasileiro. Posteriormente, vieram outros seis treinadores do Japão no período de dez anos, criando-se a tradição do judô de Usiminas que foi de grande contribuição ao judô brasileiro. O segundo treinador foi o 6º dan Fukujuro Iwao, o terceiro foi 7º dan Chikara Yahiro, o quarto foi 6º dan Hajime Iwasaki, o quinto foi Hissao Mizutani, o sexto foi Seiji Shouji e, finalmente, o último treinador foi o 6º dan Takehisa Marutani, que fora capitão do clube de judô da Universidade Meiji.

Em 1990, na comemoração de 30 anos de fundação do departamento de judô da Usipa, foi realizado o Campeonato Brasileiro Juvenil de Judô no Ginásio de Esportes Ipatinga da Usiminas. Como naquela época eu era treinador de reforço em São Paulo, fui para Ipatinga levando o time juvenil do estado de São Paulo. O grandioso campeonato de judô foi realizado no ginásio que leva o nome do segundo administrador da Usiminas, Makoto Inoue, e onde foram estendidos 500 tatamis. Fui recebido pelo treinador Marutani que me recepcionou com muita atenção. Era de praxe todos os treinadores da Usiminas, ao tomar posse e ao retornar para o Japão, passar por São Paulo, onde deveriam visitar todas as empresas jornalísticas *nikkei* e comparecer à recepção de boas-vindas oferecida pela Associação dos Faixas Pretas do Brasil. Como velhos amigos, conversei animadamente com o senhor Marutani e indaguei sobre as características do judô brasileiro.

Naquela época, havia mil alunos aprendendo judô no Clube da Usipa. Rogério Santos (categoria 71 quilos), primeiro participante do Clube Usipa nas Olimpíadas de Los Angeles e Edilene, que lutou em pé de igualdade com a Yoko Sakagami do Japão, detentora da medalha de bronze na categoria peso-pesado nas Olimpíadas de Barcelona, estavam treinando bastante suados.

Ao perguntar sobre que impressão o senhor Marutani tinha deles, ele me disse o seguinte:

– Preferem treino livre à explicação verbal e gostam mais de lutar do que repetição de técnicas básicas. Às vezes fico desorientado quando me pedem para lhes ensinar golpes de alto nível. Não cumprem horário e não gostam de continuar a mesma coisa durante muito tempo.

Eu disse que pensava o mesmo e demos gargalhada.

O envio de treinadores de judô do Japão foi suspenso, tendo o senhor Marutani como último técnico, mas com apenas um ano e meio de estadia no Brasil, os seis treinadores ficaram completamente fanáticos por este país, e em 1995, como parte dos eventos comemorativos dos 100 anos do Tratado de Amizade Brasil–Japão, foram convidados os times masculino e feminino que venceram o campeonato empresarial no Japão. Tendo o senhor Anami como líder e o senhor Tajiri como treinador, todos os técnicos da Usiminas enviados pelo Japão arcaram com as despesas para participar e dar mais brilho a esse festejo. Enfrentaram e venceram todos os times do Brasil no ginásio do Ibirapuera, obtiveram vitória fácil no Rio de Janeiro, e percorreram uma longa distância até Ipatinga para realizar uma luta amistosa com todos os times de Minas.

Naquele momento compreendi pela primeira vez que o período mais difícil da vida se torna a melhor recordação. O que mais causou dor na vida de uma pessoa se transforma em seu maior tesouro. Na vida das pessoas que participaram da construção de Usiminas, os companheiros que compartilharam a experiência desse período mais sofrido, provavelmente, devem ter sido como amigos de guerra. É por essa razão que ainda hoje, passados trinta anos, se alegram e se abraçam ao se reencontrarem, e na despedida cantam em coro a canção "Ipatinga Blues" e consolidam a amizade. Penso com inveja que é realmente uma bela e emocionante ligação.

O senhor Amino e o senhor Tajiri têm visitado o Brasil com frequência.

Por indicação do Departamento de Judô da Usipa e da Associação dos Faixas Pretas do Kodokan do Brasil, em 28 de outubro de 1992, foi outorgada a comenda Grão Cruz do Brasil ao senhor Anami.

O senhor Anami, que era vice-presidente da Shin Nittetsu, na época, veio ao Brasil com sua esposa, convidou as pessoas eminentes da nação e personagens ligadas ao clube de judô da Associação Ipatinga e realizou uma magnífica cerimônia de recebimento da comenda, no restaurante Suntory em São Paulo. Nessa ocasião, após a cerimônia, os companheiros da Associação Ipatinga presentes rodearam o casal Anami, e abraçados entoaram a canção "Ipatinga Blues" bem alto como se fossem crianças.

A letra dessa canção é aproximadamente a seguinte, sendo uma paródia da música "Heitai Blues" cantada no famoso filme *Nito Hei Monogatari*, protagonizado pelos atores Ban Junzaburo e Hanabishi Achako, sobre a história de um soldado raso.

1. O sol se põe no bosque dos eucaliptos
Ando inquieto sob as estrelas
Ao levantar os olhos para o céu azul da noite
A tristeza de nem ver os gansos selvagens voarem

2. Na hora em que os urubus voltam para seus ninhos
O Cruzeiro do Sul no céu de Minas Gerais
O céu poente embaçado pela poeira
O pensamento vai longe, para terra natal

3. No dia em que o calor abrasador derrete o ferro
No dia em que o lamaçal causa escorregões
Até terminar o trabalho em segurança
Vamos nos esforçar juntos, Ipatinga

O autor é desconhecido. Entretanto, tem algo que desperta nossa emoção. Haja glória para a Associação Ipatinga.

Recordando Mitsugui Iwafune, o "último samurai"

O texto a seguir é um artigo publicado no jornal *São Paulo–Shimbun*, em 21 de dezembro de 2006, e que eu gostaria de apresentá-lo neste espaço com intenção de prestar uma homenagem póstuma. Foi escrito por mim relatando o falecimento do senhor Iwafune que, além de ensinar judô na Usiminas, era o presidente da Associação dos Faixas Pretas do Brasil.

HOMENAGEM PÓSTUMA AO SR. IWAFUME

Na manhã do último dia 28 de novembro, recebi um telefonema do veterano Okano, a quem tenho grande respeito.

– Ishii, o veterano Iwafune faleceu na noite passada. Parece que foi câncer de próstata. É realmente uma pena, mas não tem jeito. Agora eu vou até minha casa em Belo Horizonte. Peço que cuide do resto.

Eu levei um susto tão grande que fiquei sem fala. Bem à minha frente, há uma foto onde eu e o senhor Okano aparecemos de *judogui* com o senhor Iwafune no centro. É uma foto tirada há mais de trinta anos, quando éramos jovens. A última vez que o encontrei foi em maio deste ano, durante um torneio internacional realizado em Belo Horizonte com participação de sete países. Ficara muito contente ao me ver chegar.

– Seja bem-vindo, Ishii! Fique na minha casa. Esta noite vamos tomar saquê. Sua filha está bem? Pensando bem, como viemos para longe!

Revejo a figura do senhor Iwafune dando gargalhadas ao dizer essas palavras.

Desde que cheguei ao Brasil, o senhor Iwafune surgiu em cada encruzilhada da minha vida. O primeiro encontro foi quando visitei a Usiminas acompanhando o casal Kihara. De repente, um homem robusto de aparência forte apareceu vestindo *judogui* e me estendeu a mão direita, dizendo entre sorrisos:

– Então, você é Ishii? Eu sou Iwafune. Hoje eu dou as mãos para você, mas não farei cerimônia. Ataque seriamente.

Depois começamos a lutar para treinar, e lembro que ele era muito forte. Segurava com muita firmeza, e várias vezes senti que ia ser derrotado com *seoi-nague* que parecia mergulhar por baixo, mas no final, a custo, consegui aplicar a minha habilidade *osoto-gari* e venci com *ippon*.

Aquela noite terminou em saquê. O senhor Iwafune sentou-se ao meu lado dizendo:

– Então, você é irmão mais novo do senhor Isamu Ishii da Waseda! – E enquanto me oferecia cerveja, me contou suas recordações dos tempos estudantis, lembrando saudoso das ocasiões que treinou com meu irmão e levou uma surra, ou da derrota vergonhosa que sofreu ao lutar com o senhor Rinzo Miyake, um ano mais velho que eu.

O senhor Iwafune era um homem simpático que ficou conhecido como capitão do clube de judô da Universidade Takushoku; ao imigrar para o Brasil, ensinou judô em várias localidades, após isso se empregou na Siderúrgica de Usiminas, onde atuava na administração juntamente com o professor de judô da localidade. Era natural da cidade de Morioka na província de Iwate, e se expressava usando abertamente o dialeto de Iwate. Possuía uma sonoridade e humor peculiar.

Encontrei-o novamente no salão do Campeonato Brasileiro de Sumô. O time de São Paulo e de Usiminas se enfrentaram na decisão. Eu participei como capitão do time paulista. O senhor Iwafune era o lutador principal e o atleta de maior pontuação de Usiminas. Nesse campeonato, São Paulo perdeu de 4 a 3. A atuação do senhor Iwafune foi suprassumo. Era uma tática regular de sumô que se lançava por baixo, agarrava o cinto (*mawashi*) pela frente e empurrava o adversário para fora da arena. Eu fiquei espantado ao saber que ele era veterano de sumô da colônia, e que juntamente com o senhor Kuwatsuru, de Minas Gerais, eram dois grandes mestres desse esporte. Nós não nos enfrentamos, mas, se eu tivesse lutado, como teria sido?

No ano seguinte, o time de rugby de São Paulo à qual eu pertencia fez uma viagem de treino para Usiminas. Eu estava absorvido no rugby a fim de fortalecer os quadris, e participava como centro de apoio do time *nikkei* de São Paulo. O capitão do time de Usiminas, liderado pelo chefe Morita nessa ocasião, era justamente o senhor Iwafune.

– Ishii, com cuidado, por favor. Não se machuque, está bem? – disse com o sorriso de sempre.

Durante o jogo, fiquei admirado com sua destreza de agarrar pelas pernas e derrubar (*tackle*). Se eu corria com a bola nas mãos, era derrubado por trás com um violento *tackle*. Roubou-me a bola umas três vezes e levei uma surra. Soube que fizera fama no clube de futebol na época de Colégio Morioka.

Assim, no meu caminho, o senhor Iwafune sempre aparecia e tenho lembranças de duras batalhas. Era o samurai entre os verdadeiros samurais que eu conheci no Brasil. Era amante de esportes, tendo ensinado judô a seus dois filhos desde que eles eram pequenos. O caçula, Nobuharu, ficou hospedado em minha casa e treinou intensamente cerca de três meses.

– Ishii, pode matá-lo de tanto arremessar, mas, por favor, treine-o – assim fui solicitado pelo senhor Iwafune e treinei-o diariamente com a maior seriedade.

Finalmente, chegou o dia em que Nobuharu participou do Campeonato Internacional de Judô de Tóquio. Nessa ocasião o senhor Iwafune visitou o Japão como técnico do time brasileiro e foi noticiado no jornal do Japão, com fotos, como "dois gaviões, pai e filho, do judô brasileiro", sendo essa notícia publicada também no jornal *Nikkei do Brasil*.

Após se aposentar da Usiminas, exerceu simultaneamente o cargo de presidente da Sociedade Nipo-Brasileira de Minas Gerais, e de presidente da

Associação dos Faixas Pretas do Brasil, após o falecimento do presidente Doi. Era muito respeitado como autoridade no judô de Minas Gerais e estimado por todos, sendo tratado pelo seu nome familiar Gantyan, em alusão ao seu nome "iwa" (que se lê também como *gan*), entre os companheiros mais íntimos.

A colônia (comunidade *nikkei*) perdeu de fato uma pessoa inestimável. O senhor Iwafune foi o último samurai da colônia. Rezo pela alma dele.

UICHIRO UMAKAKEBA

Uichiro Umakakeba é residente em Bastos, estado de São Paulo. Quando jovem, aprendeu comigo o estilo de judô japonês. Por motivos familiares, interrompeu as suas aspirações e retornou a Bastos, mas, naquela terra, estruturou a Kodokan e formou atletas olímpicos que representaram o Brasil. Em março de 2011, foram publicados, através do *São Paulo–Shimbun*, os escritos das minhas impressões sobre Umakakeba como "A base do judô brasileiro", que, por um tempo, ficou sem se comunicar, mas após superar uma fase difícil, me procurou. Abaixo, republico o conteúdo.

MEU AMIGO UMAKAKEBA: UMA REFERÊNCIA DO JUDÔ BRASILEIRO

Como de hábito, às quintas-feiras e aos sábados, levanto-me às cinco horas da manhã e vou ao Guarapiranga Golf Club para cuidar da minha saúde. Reunimos cerca de dez fanáticos *nikkeis* adeptos do golfe, e somos os primeiros a iniciar a partida. Sábado, 19 de fevereiro, era um dia muito quente e, por mais que me esforçasse, o jogo não andava. Cansado, regressei ao meu sítio em Ibiúna. Havia uma chamada telefônica da minha esposa solicitando retorno urgente. Depressa telefonei para casa.

Minha esposa disse:

– Quando volta a São Paulo? Pois há pouco Umakakeba telefonou dizendo que estaria vindo para a cidade e que gostaria de encontrar com você e conversar. Gostaria de saber quando pretende voltar...

– Na segunda-feira não consigo voltar, penso que é possível voltar amanhã (domingo). Comunique que voltarei até a tarde de amanhã, e então jantaremos juntos depois de tanto tempo.

Enquanto me dirigia à minha casa, pensei sobre os objetivos da visita de Umakakeba. Será que queria mandar o filho ou um aluno para o Japão para estudar com bolsa de estudos na Universidade Budô? Ou estaria querendo a minha presença em algum evento na cidade de Bastos? Pensando estas coisas, cheguei à minha casa em São Paulo.

Ele era um homem sério, evangélico com uma fé firme. Conheci-o através do judô, quando vim para o Brasil, em 1964, para estudar na Escola Agrícola de Presidente Prudente e ensinar judô naquela comunidade. Eu tinha 22 anos e ele, 18.

Nessa época, havia ouvido falar do professor Hosokawa de Presidente Prudente: "Há um judoca excepcional em Bastos, chamado Umakakeba".

Surgiu uma oportunidade de ir para Bastos e procurei a Academia de Judô de lá para conhecer como era o local. Na cidade, o professor Sugui ensinava o judô num clube *nikkei*.

Naquele dia, estavam treinando cinco ou seis faixas pretas, quase todos *nikkeis* e cerca de 50 judocas, incluindo crianças. Eu também vesti *judogui* e fui entrando. O primeiro com quem cruzei os olhares foi um judoca que se destacava, exibindo maior agilidade e perícia. Era Umakakeba.

– Sou Ishii, de Presidente Prudente. Um treino, por favor.

Fizemos o *rei* e nos pegamos. Forte. Ele tinha uma força assustadora e molejo. Fiz algumas entradas de leve. Reparei que todos em volta tinham parado para assistir ao nosso treinamento.

Percebi que deveria derrubá-lo primeiro. Apliquei uma sequência de golpes, de *sasae-tsurikomi-ashi* para *osoto* e o derrubei para trás... Levantou-se, incrédulo, contra-atacou com vivacidade violenta. Atacou com *uchimata, osoto, ouchi, seoi-nague*, uma sequência de *tokui-waza*... Eu já o tinha jogado e estava tranquilo. Então, dando contragolpes e fazendo *uke* joguei-o umas quatro ou cinco vezes.

Constatei que ele tinha um quadril robusto. E um hábil manejo do punho. Após suar em abundância, treinei com os demais faixas pretas. Todos tinham uma aparência forte, mas eles não me impressionaram.

Este foi meu encontro com Umakakeba.

O pai de Umakakeba, o senhor Tetsuo, era natural de Shingu, província de Wakayama, no Japão. Veio para o Brasil após a guerra, como imigrante. Tornou-se um próspero e bem-sucedido avicultor, criando cerca de 50 mil aves.

A propriedade é de 16 alqueires. Umakakeba é o seu filho único, e na época, ainda não era naturalizado brasileiro. Ele tinha dois adversários temíveis. Mateus Suguizaki, de Avaré, e Mitio Harada, de São Paulo.

Estes três frequentemente defrontavam em campeonatos brasileiros. Eu conhecia os três. Eles possuíam habilidades diferentes e sempre um deles ganhava, mas, a meu ver, a supremacia do Umakakeba era incontestável.

Mudei para São Paulo e abri a Academia Ishii na Lapa. Era recém-casado e me estabeleci como proprietário de uma academia. Era pequena, com 180 metros quadrados, um local comprido, com secretaria e sanitário, mas como a toca de uma enguia. De repente, Umakakeba apareceu no local.

– Professor, por favor, me aceite como discípulo. Farei qualquer coisa. Já me naturalizei e quero aprender o judô verdadeiro. Quero ganhar o Campeonato Brasileiro. Tenho apoio de meu pai que me permitiu dizendo: "Vá e se esforce como se fosse para enfrentar a morte".

Eu disse:

– Sou casado e tenho uma filha recém-nascida. Como fará para se alojar e alimentar?

Ele respondeu: –Tudo bem. Por favor, deixe-me dormir na academia. As refeições farei lá fora.

– É sério? O treino de judô é severo. Consegue aguentar? – perguntei. Mas ele estava determinado. Desta maneira, ficou decidido que ele ficaria na secretaria da academia. E assim iniciou-se nossa convivência no judô.

Naquele tempo, eu treinava exaustivamente como atleta, visando o Sul-Americano, o Pan-Americano, o Mundial e as Olimpíadas. Viajava com frequência a convite ou para campeonatos ficando muito ausente na academia. Ele dormia na academia e supria a minha ausência.

Quando começávamos a treinar, não parávamos durante quase uma hora. Transmiti a ele toda a minha paixão pelo judô. Ensinei, corpo a corpo, as técnicas que aprendi na época de colegial, de universitário, as maneiras de treinamento nas concentrações da seleção olímpica do Japão, os *tokui-waza*[1] dos atletas destacados e de antigos especialistas em judô, as maneiras loucas de treinamento dos judocas lendários...

Ele entende o português melhor que eu, e me auxiliou muito na minha comunicação com os brasileiros, transmitindo as minhas intenções. Acredito que é ele quem mais me compreendeu a intensidade da minha paixão pelo judô.

O único defeito dele era não ingerir bebidas alcoólicas. Nunca tivemos aquela conversa íntima do fundo do coração que procede de uma boa bebedeira. Era um evangélico respeitoso, e a sua namorada, Naomi, demonstrava maior fervor que ele, e hoje ela é sua esposa e vive para a fé e a música.

---

[1] Golpe preferido. (N.R.T.)

Embora devotado, era praticamente invencível nos treinamentos de judô. Entre os atletas fortes de todo o Brasil que visitavam a minha academia, ninguém o bateu nos treinos. Nem mesmo aqueles gigantes de 2 metros conseguiam se manter em pé diante dele, ou mesmo os jovens judocas japoneses que vinham do Japão para me visitar.

Mesmo eu, nos treinos, de vez em quando era jogado. Ele era soberano nas lutas de solo; sozinho procurava as academias de jiu-jitsu em São Paulo e treinava. Podia levá-lo onde fosse para treinar, nunca o vi perder.

Depois de quase três anos de treinamento, de repente ele disse:

– Professor, papai sofreu um derrame. Sou o mais velho dos irmãos e tenho que voltar. Desculpe.

Procurei dissuadi-lo:

– Na próxima semana vai começar a seletiva para o Pan-Americano. É pouco tempo, tente participar.

– De qualquer maneira, voltarei e verei meu pai e então decidirei, desculpe – dizendo isso, foi embora.

Depois disso, não tive notícias de Umakakeba. Eu também estive muito ocupado com a minha preparação para os campeonatos internacionais, levando o nome do Brasil, e com o meu sustento.

Tempos depois, chegou a notícia de que ele estava construindo uma Kodokan em Bastos. Ali estavam se concentrando judocas de todo o Brasil, e estavam efetuando a educação espartana estilo japonês. Todos os anos, realizavam *kangueiko* e *shotyugueiko* e, na academia de 500 tatamis, treinavam seis horas por dia.

Os alunos eram internos e, de manhã, faziam corrida, musculação e luta de solo. À tarde, treinavam em conjunto durante quatro horas, principalmente imitando a programação das concentrações da seleção olímpica japonesa.

A começar pelo atleta Tiago Camilo, medalhista de prata nas Olimpíadas de Sidney, os medalhistas dos torneios Pan-Americanos, mundiais, ou olímpicos de hoje, quase todos, são originários ou já tiveram experiência nos *shotyugueiko* ou *kangueiko* de Bastos.

Eu também, de tempos em tempos, visitei a academia de Bastos. Realmente, é uma academia boa, e o povo de Bastos participa do judô; nas concentrações, os pais trabalham na cozinha e na hospedagem, e também cooperam apoiando os atletas.

São inúmeros, dentre os que conheço, os judocas e técnicos *nikkeis* originários de Bastos. Mário Tsutsui (campeão Pan-Americano), Sérgio Sano, Alexandre Lee, quase todos de quem penso "este é forte", vêm da academia de Bastos.

Umakakeba, que herdou a avicultura familiar, investiu todas as suas forças e toda a sua economia no judô; concentrou os atletas na sua casa, corria junto, fortificava os atletas com halteres e vivia o dia inteiro para o judô.

Depois disso, ouvi uma notícia ruim. A falência de Umakakeba em tempos difíceis da avicultura. Perdeu tudo, diziam. O judô de Bastos havia chegado ao fim. Diziam que o filho dele fora para São Paulo e que Umakakeba não tinha mais o que fazer.

Não quis acreditar. Mas todos a quem perguntei, diziam que ele havia falido. Umakakeba, de repente, telefonou-me dizendo que queria se encontrar comigo. E ontem (dia 20 de fevereiro), visitou-me no meu apartamento em São Paulo. Estava um tanto calvo, mas era o mesmo Umakakeba de outrora.

– *Sensei*, faz muito tempo. Como está? É que eu gostaria de lhe agradecer, por isso estou aqui hoje.

– Agradecimento? Não fiz nada para você. Eu é que quero agradecer por ter divulgado o verdadeiro judô no Brasil. Até agora, tentei de todas as formas criar um atleta forte, mas todos são levados pelos clubes famosos ou pelas prefeituras; e se forçar muito o treino, os próprios pais tiram os seus filhos. Sem outro jeito, ensinei as minhas filhas, mas não consegui transmitir os meus sentimentos a elas. Ao se casarem, saíram. Sou imensamente grato a você, por haver conseguido implantar o verdadeiro judô. Mesmo que tenha um discurso bonito, se não praticar com o próprio corpo, não podemos criar um atleta, nem nos seguirão. Você é grande. – Falei-lhe com sinceridade.

Diante da minha sinceridade, Umakakeba disse:

– Professor Ishii, foi o senhor que me guiou para o judô autêntico. No mês passado, consegui acertar a difícil situação da granja. Agora, tenho 70 mil aves. Trabalhei com o espírito de judô, e agora, o trabalho normalizou. Os cem alunos de outrora estão reduzidos a quarenta. Mesmo assim, o sistema de treinamentos continua igual como antes. É de quatro horas, todos os dias, sem falta. A flexão de braço e o abdominal são repetidos quinhentas vezes. É tudo como aprendi do senhor, há muito tempo. Muito obrigado!

E continuou:

– De repente, apareci em tempos difíceis para o professor, e pedi para ser discípulo e, devido à doença do meu pai, saí sem dizer *sayonara*[2] para sua esposa, carregava comigo um sentimento de culpa. Felizmente, por causa do judô, a situação da avicultura melhorou e, até que enfim, posso manifestar a minha gratidão. A minha esposa também falou "para não só pensar na sua dor, mas no que realmente deseja, então é melhor praticar", e assim, vim para lhe agradecer. – e direcionou um pacote de presente e dois envelopes para mim e para a minha esposa.

Pensei que fosse uma carta e peguei.

Convidei-o para um jantar em um restaurante chinês, juntamente com minha terceira filha, Vânia, e seu namorado que haviam retornado de Bragança Paulista.

---

[2] Saudação de despedida, "tchau". (N.R.T.)

Enquanto esperávamos o preparo dos pratos, conversamos bastante sobre o judô. Sobre os antigos adversários fortes, notícias dos rivais, boatos; passamos momentos extremante agradáveis.

Depois que regressamos a minha casa, abrimos, eu e a minha esposa, cada qual, os envelopes que havíamos recebidos de Umakakeba. Cada um continha dez notas de cem reais novinhas em folha. Assustado, telefonei para Umakakeba, mas não deu conexão.

Eu e a minha esposa pensamos no que poderíamos fazer.

A base do judô está em Bastos. Umakakeba, que levantou uma academia de 500 tatamis, e durante quarenta anos, viveu para a divulgação e prática de judô, talvez seja o anjo enviado por Deus para o Brasil. Ser orientador durante um ano ou dois, vá lá, mas consagrar-se para ministrar durante quarenta anos, não é para qualquer um. Por ele existir, o Brasil conseguiu quinze medalhas olímpicas.

Falei anteriormente que quase todos os candidatos a campeonatos mundiais ou olímpicos, de hoje, já participaram dos treinamentos ou concentrações na academia de Umakakeba e receberam influência dele.

Se ele não existisse, o número de medalhas olímpicas do Brasil seria reduzido à metade. Por isso, acredito que a academia daquela pequena cidade japonesa de Bastos é a base do judô do Brasil. Eu, de nenhuma maneira, o alcanço (registrado em 21 de fevereiro de 2011).

*Este artigo foi enviado e transcrito para a revista *Judô* da Kodokan, em julho e agosto de 2011; número 82.

Em seguida, quero registrar o que foi publicado no *São Paulo – Shimbun*, em julho de 2011, sobre a minha participação no kangueiko de Bastos

Aconteceu em Bastos, estado de São Paulo. Como de costume o Kangueiko no período de 03 a 08 de julho de 2011, reunindo cerca de 200 atletas vindos de todas as regiões do Brasil. A convite do professor Umakakeba, que vem dirigindo por longos anos o "judô japonês", o professor Ishii, que participou do forte treino de Bastos, resumiu os acontecimentos e enviou à redação. Vamos publicá-los em cinco edições consecutivas (redação do *Jornal São Paulo*).

De repente, houve um telefonema do discípulo estimado para minha casa em São Paulo.

– Professor Ishii, venha a Bastos para participar do Kangueiko deste ano. Já enviei a passagem aérea.

Respondi afirmativamente, e embarquei no aeroporto de São Paulo com destino à Presidente Prudente na tarde de domingo de 03 de julho. Chegando à cidade, após aproximadamente cinquenta minutos, encontrei Umakakeba com um saudoso sorriso no rosto.

– Há tempo que não nos vemos. Vou lhe dar trabalho. Não posso treinar muito devido à idade, mas a boca ainda está boa. Estou a sua inteira disposição.

Depois do cumprimento, seguimos no carro dele, gastando cerca de uma hora até Bastos, a "terra natal dos imigrantes japoneses".

Cheguei à academia, coloquei o *judogui* e encontrei, em *seiza*, cerca de 200 judocas, crianças, jovens e adultos de ambos os sexos. Na abertura estavam presentes o presidente da Federação Paulista de Judô, Francisco de Carvalho Filho, e o vice-presidente Alessandro Puglia.

Após as saudações do presidente Carvalho e as palavras do vice-presidente Alessandro sobre o objetivo do Kangueiko, o treinamento começou.

"Como irão treinar tantas pessoas?" Pensei ao mesmo tempo em que me preparava com alongamentos. Sem reclamações e nem mostrar insatisfações, o treino dos judocas fluía como água no rio, ininterruptamente.

Depois de aquecido com *uchi-komi*, fiz *randori* com jovens de faixa marrom. No judô se percebe a capacidade do outro na pegada. Jogando três vezes um atleta, trocava-se de parceiro. O faixa preta já é forte.

Depois de dez minutos, tentava os meus *tokui-waza* seguidos e, se isso não surtisse efeito, reconhecia a minha derrota e procurava outro.

A academia de Bastos é espaçosa. 15 metros de largura por 60 metros de comprimento. Há cinco áreas semioficiais. À direita, treinam os juvenis e juniores e, ao centro, as atletas femininas. Nas duas áreas da esquerda, treinam os seniores leves e os pesados. É o dobro da Kodokan da América do Sul, que fica ao lado do ginásio do Ibirapuera da cidade de São Paulo, e o número de tatamis é de 500. Dentre as academias do Brasil que eu conheço, é a maior.

Os participantes do Kangueiko eram da própria cidade de Bastos, São Paulo, São Caetano, Paraná, Brasília, Rio de Janeiro, Goiás, Sergipe, Pernambuco, Pará, Tocantins, nove Estados e onze capitais, vindos de avião, carro particular ou de ônibus. Pagam 280 reais de inscrição e fazem judô alegremente.

Neste dia, o treino terminou às 19 horas.

No dia seguinte, o treino iniciou-se às 5 horas. Começou com as palavras de Umakakeba sobre judô, fizeram o alongamento, seguido de 500 flexões, 300 abdominais, 200 agachamentos, 50 metros de "sapinho". Como faz frio, uma hora de *ne-waza* para aquecimento do corpo, e depois uma hora de *uchi-komi* e uma hora de *randori*, praticando um treino equilibrado.

Eu me esforcei com toda a minha força para acompanhar. Quando terminou, estava todo suado.

Os atletas, depois do café da manhã, fizeram corrida ou futebol das 9 horas até às 10 horas e 30 minutos para relaxar o corpo. Depois, assistiram vídeos do campeonato japonês e do campeonato mundial, para pesquisas.

No almoço, eram servidos os pratos preparados com carinho pela Naomi, amada esposa de Umakakeba, em forma de self service. Eu também comi junto, realmente era gostoso. Verduras, frutas, carne, espaguete, frango, feijão, arroz, muito nutritivo. Cada um come se servindo com o que aprecia e cada um lava o seu prato.

Após o almoço, descansam, dormindo até às 15 horas. Eu pude descansar num quarto de hotel, com ar condicionado, mas os atletas dormem na academia. As atletas se acomodaram numa sala ampla da academia, mas dormiram nas arquibancadas, sobre uns colchões finos como biscoito, cobertos com um cobertor também fino.

Havia também famílias que armavam tendas. Perguntei preocupado se não havia o perigo de cair dos degraus no meio da noite, mas reponderam que não.

Das 15 horas até às 18 horas, como sempre, fizeram exercícios de alongamento, flexão de braço, abdominal e agachamento seguido de *uchi-komi*. Este *uchi-komi* foi assustador. Parecia o do time da seleção japonesa, feito maravilhosamente, correndo com facilidade.

Eu, na situação atual, não pude acompanhá-los. Nem tive voz para alguma observação. Finalmente, quando às 18 horas terminou o treino, estava sem fala, assustado.

Até agora, tenho participado de inúmeros Kangueiko, Shotyugueiko e concentrações de aprimoramento. Nos tempos de colegial, fazíamos nós próprios um programa: de manhã corrida, subindo uma montanha e *ne-waza*, à tarde, *tachi-waza*, durante duas horas, no máximo.

Frequentei o Kangueiko e o Shotyugueiko da *Kodokan*. O Kangueiko era das 6 horas às 8 horas, apenas de duas horas. O Shotyugueiko era longo e durava um mês, mas era de duas horas, das 15 até às 17 horas.

O Kangueiko da Universidade Waseda era de manhã, durante uma semana. O Shotyugueiko também durava apenas uma semana. Mesmo na concentração das Universidades de Waseda e Keio, durante a primavera e outono, o volume de treinamento era cerca da metade do de Bastos. Nem na seleção japonesa não fiz um treinamento tão forte como este.

Faz frio durante a manhã e a noite em Bastos. Vendo as crianças dormindo nos colchões finos, fiquei envergonhado de estar dormindo no hotel, quentinho.

Acontece em todo esporte, o atleta se fortalece, participando de concentrações de aprimoramento. Há diferença dobrada entre o antes e o depois da concentração, como uma metamorfose. Aquele rival a quem não conseguia vencer, passa a jogá-lo como a uma bola. O que senti das concentrações que experimentei até agora é a autoconfiança de que subjuguei todos os treinamentos penosos de Kangueiko e Shotyugueiko. Nasce também o sentimento de grupo, para competições por equipes.

Treinando com diversas pessoas na concentração, adquire força física e espiritual naturalmente. O treinamento árduo se torna um ponto de separação para um ser humano. É o mesmo que o gomo de bambu. De qualquer maneira, eu também, cerrando os meus dentes, aguentei o árduo treinamento diário de seis horas e meia.

Os brasileiros que não conseguiam nem cumprimentar no início, passaram a dizer "*sensei ohayo gozaimasu*[3]", "*konnichiiwa*[4]", "*konbanwa*[5]" e "*arigato gozaimasu*[6]" em japonês para mim. Isso foi o resultado das palavras iniciais de Umakakeba.

Parecia como numa religião. Senti que era a "religião do judô de Umakakeba".

Na quinta-feira, dia 7, no tempo livre entre os treinos, pedi ao Umakakeba para jogar golfe. Foi uma rodada após um longo tempo de ausência, no Bastos Golf Club, com a irmã de Umakakeba, seu marido Norimoto Yabuta, e o senhor Otaka, meu conterrâneo. O meu resultado foi desastroso, mas após o jogo, perguntei aos companheiros

---

[3] "Bom dia, professor." (N.R.T.)

[4] "Boa tarde." (N.R.T.)

[5] "Boa noite." (N.R.T.)

[6] "Muito obrigado." (N.R.T.)

como poderia haver, numa cidade interiorana de 28 mil habitantes, uma academia de judô gigantesca e um campo de golfe com dezoito buracos. Segundo eles, a academia custou 800 mil dólares e demorou dois anos para ser construída, através de doações e colaborações do povo de Bastos. A força motriz disso foi o ardor de Umakakeba e o orgulho dos imigrantes japoneses em relação ao judô.

"Eu faço uma das paredes", "eu arco com metade da cobertura", "eu me responsabilizo pelos halteres", "eu me encarrego da parte elétrica", é uma dádiva da união da força total de cada um dos voluntários para um fim comum.

Dizem que o senhor Yabuta, que andou comigo jogando golfe, é o maior avicultor do Brasil, e falam que possui 5 milhões de aves. Pude conhecer uma parte, mas toda a instalação é computadorizada e automatizada, e não só em Bastos, mas também possui pastagens e plantações no Mato Grosso e no Paraná.

Para mim, não disse uma palavra a respeito do seu trabalho. Somente resmungou: "Não sei para onde voa a bola de golfe". Assustei-me: ainda existem pessoas maravilhosas como esta em Bastos. Quando imigrei para o Brasil, havia muitas pessoas como o senhor Yabuta em Presidente Prudente. Silenciosamente, me dava dinheiro ou fazia banquetes para mim.

Mas, se gastou 800 mil dólares para construir a maravilhosa academia, quantos campeões apareceram nesta academia no cenário de judô brasileiro? Neste ano (2011), no mês de junho, no Grand Slam realizado na cidade do Rio, o Brasil ficou em segundo lugar, depois do Japão, em número de medalhas conquistadas. Portanto, se tornou o número 2 em judô no mundo.

Entre os que conheci até agora, há o Tiago Camilo (medalha de prata nas Olimpíadas de Sidney), Alexandre Lee (participante das Olimpíadas de Atenas), Musashi Masuda (campeão Pan-Americano), Sérgio Sano (campeão Brasileiro e Sul-Americano) e Mário Tsutsui (campeão Pan-Americano). Senti nesta concentração que ainda aparecerão seguidamente muitos atletas significativos.

A atleta de nome Ello Any, com 15 anos, joga na categoria atleta masculino de faixa preta. O *nikkei* Igor Morishigue, com 12 anos, já é campeão Paulista. É pesado e grande; é a "segunda geração de Yasuhiro Yamashita".

A imagem de Umakakeba, que durante 35 anos realizou ininterruptamente o Kangueiko, pareceu como a do fundador e mestre Jigoro Kano. Ele, antes do treino da manhã, falou sobre o judô, durante cerca de trinta minutos. Eu também, completando, expliquei o *sei ryoku zen yo* e o *ji ta kyoei*[7], a filosofia do Judô para os brasileiros.

Dentro de mais de sessenta anos de minha vida de judô, o Kangueiko de Bastos foi o mais rigoroso. O Uichiro Umakakeba é um homem impressionante. Está muito acima de mim. Podemos dizer que é o fundador da "religião judô". Penso que foi visível, no meio da compreensão e cooperação das pessoas da Associação Japonesa de Bastos, a força descomunal e impressionante dos japoneses.

Na academia de judô de Bastos, há arquibancada, corredor, alojamentos, refeitório, sanitários e até sala de musculação. Mais do que tudo isso, o que admiro é a atitude de profundo respeito dos alunos ao Umakakeba. Quando nos encontramos, eles nos cumprimentam respeitosamente, na posição de *kiotsuke* com "*ohayo gozaimasu*" e "*sayonara*". Nunca havia sentido tanto a grandeza da educação como neste Kangueiko.

O mestre Jigoro Kano, como diretor da escola de professores de Tóquio, divulgou o benefício do judô para todos os professores e educadores de todo o país. Por causa disso, o judô da Kodokan expandiu inicialmente para todo o Japão e depois para o mundo.

---

[7] Princípios filosóficos escritos pelo professor Jigoro Kano. *Sei ryoku zen yo* significa "o máximo de eficiência com o mínimo de esforço" e *ji ta kyoei* " bem-estar e benefício mútuos".(N.R.T)

O mesmo acontece com o Kangueiko que Umakakeba continua sem interrupções; está divulgando o ensinamento do mestre Kano para todo o Brasil. O judô não trata somente de ser forte. É um caminho de treinamento de vida. O *Kangueiko*, desta vez, foi para mim, "tirar escamas dos olhos" (o que não se podia ver como na situação de olhos tapados pela escama, por intervenção de algo, de repente a visão se abre e começamos a ver e compreender). Muito obrigado, Umakakeba.

(Publicado em 5 séries, no *Jornal São Paulo–Shimbun*, dos dias 19 a 23 de julho de 2011).

Diante desta minha matéria, Umakakeba enviou para o *Jornal São Paulo–Shimbun*, um artigo com o título "Recebendo o meu grande mestre Chiaki Ishii", que foi publicado no dia 22 de setembro de 2011. Um pouco envergonhado, mas com a permissão de Umakakeba, quero apresentar aqui.

No início deste ano, recebi uma agradável notícia. Era o aviso de que aquele a quem durante quarenta anos não pude esquecer nem por um dia, o mestre de judô, o professor Chiaki Ishii, viria para Bastos. Não contive as minhas emoções ao saber que o próprio professor participaria do Kangueiko deste ano.

No dia da chegada, foi com muita emoção que fui recebê-lo no aeroporto de Presidente Prudente. Depois de um tempo de espera, a aeronave aterrissou e o professor que apareceu no lobby era o mesmo de outrora, cheio de vigor físico; eu que sou um pouco mais novo, me senti envelhecido. Notei que os anos se passaram.

A notícia de que "o professor Chiaki Ishii do judô virá" se espalhou rapidamente e muitos ex-discípulos e judocas de todo o Brasil se reuniram na pequena cidade de Bastos. Os ex-alunos se alegraram com o reencontro após longo tempo, outros judocas se conheceram mutuamente e pudemos receber as orientações do professor.

No Kangueiko o professor fez *randori* (treino livre) com os participantes, para a minha vergonha. Pessoalmente, pretendia poupar-me evitando treinamentos árduos.

O judô começou a ser conhecido entre os brasileiros e ser divulgado após a conquista do professor Ishii de uma medalha de bronze nas Olimpíadas de Munique. Até então, o judô era praticado timidamente entre os imigrantes japoneses.

Desde então, o judô se expandiu rapidamente para todo o Brasil, e o judô do Brasil passou a ser o centro da atenção nas competições internacionais, e passou a conquistar muitos títulos.

Os olímpicos Walter Carmona, Douglas Vieira e Aurélio Miguel foram incentivados por aquela medalha que o professor conquistou nas Olimpíadas.

O saudoso Shiozawa também foi chamado de "o perito em *waza*", sob a orientação do professor Ishii.

O ginásio esportivo silenciou por um momento quando Odair Borges derrubou o extraordinário e talentoso atleta Kawakami, com *ouchi-gari*, estilo Ishii.

Wilson Della Santa, atual diretor da Federação Paulista de Judô, Rioiti Uchida, bicampeão no Campeonato Mundial de *nague no kata*, ambos foram alunos do professor Ishii.

Além deles, muitos judocas que aprenderam com o professor estão conquistando vitórias brilhantes.

No passado, na época um grande sonhador jovem, fui seu aluno e me empenhei para aprender o cerne do judô. O professor não dispensava a musculação, mesmo após um treinamento árduo, e eu pude aprender, não só o judô, mas também esse ardente espírito de combate.

Sendo eu também um professor de judô, pesquisei muito sobre o judô, mas foram inéditas para mim as aulas do professor Ishii sobre um golpe raro, um *kouchi-gari* que podemos chamar de "golpe de umbigo"; e sobre o *ouchi-gaeshi* avançando um passo.

Especialmente o ensinamento da filosofia do judô de "*sojo sojoo*" (ajudar-se mutuamente, ceder-se mutuamente e unir os corações). Os seis dias de Kangueiko, convivendo com o professor, renovaram a emoção, o respeito e a admiração que sentia quando ainda era seu aluno, e do início ao término, senti-me tenso o tempo todo.

No último jantar do Kangueiko, o professor brindou ao sucesso do Kangueiko, tomando umas e outras... Disse-me que "uma pessoa quando se embebeda, se torna autêntica, completamente nua. Você não bebe e isso é ruim. Por isso não podemos ter um relacionamento verdadeiro".

Acompanhando a conversa entre o professor Ishii e o Carlos Cunha "autênticos", senti a minha consciência um pouco pesada em não estar participando da "autenticidade" deles.

Professor Ishii, muito obrigado, por nos deixar ensinamentos tão preciosos. Eu que pude crescer como discípulo do professor, quero através desta escrita, transmitir-lhe os meus sentimentos de profunda gratidão. O senhor será sempre o meu grande mestre!

Se colocar somente um texto meu e de Umakakeba, parecerá que estamos fazendo uma exaltação mútua, portanto, quero apresentar aqui, para finalizar, um artigo de uma terceira pessoa, valorizando Umakakeba, uma opinião alheia, a do Shuhei Ueki, jornalista do *Jornal São Paulo*, que escreveu sob o título "'Mais um campeão': desejo de Umakakeba, o lendário orientador de judô, de Bastos, de formar campeões brasileiros", publicado em 22 de setembro de 2011.

"Mais um campeão": desejo de Umakakeba, o lendário orientador de judô, de Bastos, de formar campeões brasileiros

Residente em Bastos, estado de São Paulo, o lendário judoca Uichiro Umakakeba, 65 anos, é um dos dirigentes do judô de nível mundial, do qual o Brasil se orgulha, formador, até agora, de muitos campeões mundiais.

São eles: Tiago Camilo (medalhista olímpico de Sidney), Alexandre Lee (participante das Olimpíadas de Atenas), Sérgio Sano (atleta olímpico de Seul), Mussashi Masuda (campeão Pan-Americano), Mário Tsutsui (vice-mundial estudantil do Japão) e muitos outros.

A sua maneira de ensino, dando ênfase no treinamento tradicional japonês e na sua espiritualidade, está sendo o centro de atenção na América do Sul. No Kangueiko (treinamento especial de inverno) anual, reúne muitos judocas e dirigentes que almejam receber os seus ensinos.

Desta vez, ouvi sobre a sua vida e o seu sonho:

Umakakeba nasceu em 1946, na província de Mie-ken, cidade de Kumano. Aos 10 anos, imigrou para a cidade de Bastos junto com os seus familiares.

Aos 12, começou o judô e logo ficou entusiasmado. O motivo foi igual ao de qualquer menino "É porque todos os amigos da vizinhança praticavam o judô ou o beisebol". Devendo ajudar o pai Tetsuo, que administrava uma pequena granja de aves, durante o dia não poderia praticar o beisebol, mas à noite poderia se empenhar nos treinos de judô. Umakakeba logo se destacou e aos 17 anos foi campeão paulista. Relembra que "na época praticava judô somente por prazer".

Tornou-se campeão paulista, mas uma infelicidade o aguardava. Como natural do Japão, não poderia participar das competições oficiais brasileiras. Por causa disso, até naturalizar-se brasileiro aos vinte e um anos, durante quatro anos, afastou-se das competições oficiais. Porém, não se importou: "Mesmo não podendo participar das competições não tem importância; basta poder praticar o judô prazerosamente todos os dias", pensava.

Aos 21 anos, voltou às competições oficiais e logo se tornou campeão paulista e levou o terceiro lugar no brasileiro. "Tanto tempo no anonimato e consegui títulos; agora, vou treinar tendo como alvo ser um campeão brasileiro" pensou.

Aos 23 anos, procurou o professor Ishii que foi o conquistador da medalha de bronze nas Olimpíadas de Munique em 1972. Pediu: "Gostaria que me aceitasse como discípulo", e começou a treinar morando na academia do professor Ishii, na cidade de São Paulo. Durante anos se empenhou em treinos e finalmente aos 27 anos se tornou campeão Brasileiro.

Depois disso, Umakakeba se tornou professor de sua própria academia, em Bastos, ao mesmo tempo em que ajudava na granja do pai.

Durante os quarenta anos como professor, formou muitos campeões, e hoje, muitos professores vêm visitá-lo para ver o seu modo de treinamento.

Umakakeba agradece: "Se não tivesse a colaboração do povo de Bastos, eu não poderia ter continuado o judô", e falou: "Pela bondade dos bastenses, que construíram para mim uma academia, a maior da América do Sul". A Academia de Bastos tem a área de 500 tatamis e o valor gasto foi de 800 mil dólares. Oitenta por cento desse valor foi oferta dos bastenses.

Fazendo uma retrospectiva de sua vida, Umakakeba disse: "Encontrando com o professor Ishii, comecei a compreender a profundeza da espiritualidade do judô, e após tornar-me professor, valorizo a espiritualidade do treino do dia a dia, pois o judô começa e termina no cumprimento".

Ele sonha em formar mais um campeão. O professor Ishii lhe disse que "somente formando um campeão é que o professor é reconhecido".

"Mais um campeão para o Judô brasileiro", assim, o sonho do Umakakeba ainda continua...

JUDOCAS QUE FICARAM NA MEMÓRIA

$a$té agora, vim citando os pioneiros do judô brasileiro, de acordo com o que tenho experimentado e visto, mas agora gostaria de escrever sobre meus rivais no judô desde que migrei para o Brasil, tanto aqui como no exterior, tudo que venho sentindo e enfrentado em competições, os atletas e os acontecimentos que ficaram na memória.

Meu maior rival, sem dúvida, foi o já falecido Lhofei Shiozawa, o primeiro que me derrotou desde que cheguei no Brasil. Um verdadeiro talento, gênio do judô, muito inteligente e, na minha opinião, o maior judoca nascido da colônia nipo-brasileira.

O outro foi o peso-pesado brasileiro José Casimiro, soldado do batalhão de Brasília. Com a elasticidade própria dos afrodescendentes, e uma força descomunal, tinha ainda a seu favor um equilíbrio e uma disposição para a luta tal que, mesmo sem treino, sempre acabava como campeão. Em um torneio realizado em Brasília, na final dos pesos-pesados, enfrentou Goro Saito, de São Paulo. Após o cumprimento do início da luta, os dois ficaram em posição, mãos levantadas, tipo "pode vir". Nesse instante, Casimiro literalmente voou sobre o adversário como um touro furioso. Com um *morote-gari*, o corpo de Saito foi levantado, e caiu. *Ippon*, foi o veredicto dos juízes. No ano seguinte, na semifinal de um torneio sem divisão por peso, lutei com Casimiro. Mal nos cumprimentamos, rápido como o vento, veio me agarrar, e me derrubou de lado. Ele me tirou um *waza-ari*. Empalideci, e o sangue me subiu à cabeça. Desta vez, fui eu que pulei sobre ele, agarrando com força sua manga.

A manga do *judogui* novo de Casimiro se rasgou, sob o olhar espantado dos espectadores. Casimiro foi trocar seu *judogui*, e recomeçamos. Desta vez, com mais calma, agarrei com firmeza a gola e fiz o movimento de passar a rasteira por duas a três vezes, mantendo-o à distância, e num rápido movimento, passei uma rasteira *osoto-gari*, e o derrubei à força, imobilizando-o com *kesa-gatame*, conseguindo uma árdua vitória. Se, naquele momento em que agarrei sua manga, ela não se rasgasse, com o sangue subindo à cabeça como estava, certamente eu teria sido derrotado. Ele era realmente grande. No 5° Torneiro Mundial realizado em Salt Lake City, jogou o atleta japonês Nobuyuki Maejima com um *back drop* perfeito, uma verdadeira pintura. Porém, esse *ippon*, por erro dos juízes, foi transformado em *waza-ari*, e ele, posteriormente, perdeu a luta. Em torneios de sumô da colônia ele era o representante de Brasília, e vencia. Quando ria, seus dentes brancos enchiam o rosto, e era um homem fácil de gostar, muito simpático. Participou de torneios Sul-Americanos e Pan-Americanos conosco. Seu maior defeito era não gostar de treinar, mas creio que se ele se dedicasse mais, poderia ter sido um segundo Geesink. Tendo aprendido judô com Shiozawa, cada vez que se enfrentavam, ele voava feito uma criança com os *seoi-nague* de seu mestre. Mas aqui no Brasil, realmente ele só perdeu para Shiozawa e para mim. Além dele, no Rio de Janeiro, havia um lutador apelidado de Artilheiro, de mais de 2 metros de altura, mas mesmo este não era páreo para Casimiro. Em lutas de peso-pesado, quando estes dois se enfrentavam, era como se a área de luta ficasse pequena demais.

Um lutador forte na América do Sul era José Toletto, da Argentina. Discípulo mais próximo do já falecido Yoriyuki Yamamoto (pioneiro do judô naturalizado na Argentina, técnico da equipe de Judô desse país na Olimpíada de Munique. Com menos de 1,60 metro de altura, tinha como principais golpes ágeis *uchi-mata* e *hane-goshi*. Faleceu em julho de 1977 com câncer na medula, aos 77 anos). José tinha 1,95 metro de altura e pesava 120 quilos. Era muito bom no *harai-goshi*, tanto de direita como de esquerda, foi o adversário de treinos que mais me deu trabalho. Por ter treinado muito com ele, posso afirmar que aprendi a enfrentar lutadores maiores graças a isso. Uma cabeça mais alto que eu, precisava fazê-lo abaixar-se para encará-lo e, para tanto, precisei aumentar minha força muscular do braço direito, a fim de conseguir com que abaixasse. Quando o adversário tentava levantar a cabeça, aplicava um *osoto-gari*, ou então ia avançando e derrubando com *tai-otoshi* ou *hiza-guruma*. Essa era a técnica para lutar com adversários maiores. O apelido de Toletto era Pepe, e foi o campeão absoluto da Argentina, tendo sido representante da seleção desse país no Quinto Torneio do Rio de Janeiro. Além dele, também havia o peso-leve Elias, o peso-médio Gazino, e o meio pesado Pérez, todos bastante fortes.

Dos EUA, o meio-pesado Jimmy Wally e o absoluto Allen Coage são inesquecíveis. São lutadores que enfrentei em campeonatos mundiais, e os dois eram realmente fortes. Jimmy, no torneio de Lausanne, na primeira luta de meio-pesados, me agarrou e com *sode tsurikomigoshi* de esquerda, arremessou-se como uma bola. O juiz principal disse *Ippon*, levantando a mão, e já ia me retirando, quando o juiz auxiliar declarou *waza-ari*. "É agora", pensei, e, com muito cuidado, agarrando sua gola, consegui derrubá-lo e imobilizá-lo, com isso conquistando a vitória. Na Olimpíada de Atlanta, quando estava assistindo às lutas de Judô, veio ao meu lado um homem enorme, dando a mão para um aperto. Ele me disse: "Senhor Ishii, sou eu, Jimmy. Há quanto tempo! Infelizmente, em Lausanne, não fui tão bem". Falou isso em japonês, o que me confundiu um tanto. Apresentou-se como Jimmy Wally, e então finalmente me dei conta de quem era.

Enfrentei Allen Coage na repescagem da categoria livre, no torneio da Alemanha Ocidental em Ludwigshafen. Com um estilo de Judô flexível, era uma cabeça mais alto que eu. Não me lembro muito bem de como é que o venci, mas acho que, ou tirei pontos com *ouchi-gari*, ou então venci por pontos. Mas gastei toda a energia nessa luta, e na luta seguinte, contra Shinomaki, fui jogado como um trapo velho, e não consegui a classificação. Allen, mais tarde, passou para a luta livre, na qual se tornou muito popular nos EUA.

Enfrentei Kuznetzov da antiga União Soviética no torneio mundial dos absolutos, na quarta rodada, e meu *osoto-gari* foi devolvido em um *back drop*, fazendo-me bater a cabeça. Quase perdi os sentidos e passei por maus bocados. Com um rosto feroz como de um urso polar, e um corpo como o de um enorme sino, era muito pesado. Após ter me vencido, na quinta rodada, derrotou o japonês Shinomaki com *waza-ari* através de um *ippon-seoi*.

Atualmente, nos campeonatos mundiais, em cada categoria, vai somente um atleta por país, mas antigamente eram dois. Parece-me que essa modificação foi a partir do 11º Torneio de Paris. Como vinham dois atletas do Japão, era muito difícil conseguir vencer os torneios. Os atletas estrangeiros pensavam que se classificar em terceiro lugar no torneio já estava de bom tamanho. Até o 9º Torneio de Viena, os japoneses dominavam os dois primeiros lugares.

No Torneio do México e no de Lausanne, em todas as seis categorias, o Japão obteve as medalhas de ouro. Como vinham dois atletas, eles enfrentavam as lutas com tranquilidade, na certeza de que, se um deles perdesse, o outro venceria, tornando muito mais difíceis as lutas. Eu mesmo, até ser derrubado por Kuznetzov, tinha a certeza de que nunca seria vencido por um estrangeiro. Na semifinal, ter sido jogado com um *uchi-mata* por Sasahara, para mim, foi apenas diferença de capacidade, e pude me conformar. Mas ter perdido de Kuznetzov destruiu o meu mito de invencibilidade contra estrangeiros (não-japoneses).

Na Olimpíada seguinte, em Munique, na categoria meio-pesado, perdi por pontos para o atleta da casa, o alemão ocidental Paul Barth; na repescagem, com muito esforço, consegui me reerguer, mas ao enfrentar o inglês Starbrook, meu *kosoto-gari* foi devolvido com um *uchi-mata*, levando-me à derrota.

O mito desfeito não mais ressuscitou. Na categoria livre, enfrentei Kuznetzov novamente. De novo, a diferença física levou vantagem, e fui imobilizado com um *yoko-shiho-gatame*. Na luta seguinte, Kuznetzov derrotou o holandês Ruska com *uranague*. Com a repescagem, consegui ir em frente, mas acabei tendo de enfrentar Ruska, que era chamado de "Diabo vermelho holandês". Desta vez, fui com mais cuidado, e nos primeiros 5 minutos estava em vantagem, mas me descuidei e levei um *ashi-barai*, perdendo pontos. Vendo que, se continuasse desse modo, iria perder, tive de ir num "vai ou racha", ignorando o aviso do técnico Okano, atacando "na marra" com *osoto-gari*, mas ele contra atacou e perdi a luta. Foi questão de detalhes, e foi uma grande pena ter perdido dessa forma. Na categoria livre, Kuznetzov e Ruska se enfrentaram novamente, agora na final, e desta vez, Ruska levou vantagem no momento em que Kuznetzov estava armando o *uranague*, com *taiotoshi*, e jogou-se sobre o soviético com um *yoko-shiho-gatame*, ficando com os títulos dos peso-pesados e dos absolutos.

De todo modo, os estrangeiros também iam treinar no Japão, tornando-se muito fortes. Desde essa época, o judô deixou de ser o "esporte da casa" do Japão. Na Olimpíada de Munique, o Japão teve apenas as três medalhas de ouro: do peso-médio com Shinobu Sekine, do meio-médio com Toyokazu Nomura, e do peso-leve com Takao Kawaguchi.

No 8º torneio de Lausanne, tendo perdido o ímpeto de não ser derrotado por estrangeiros, já estava me decidindo a aposentar-me dos campeonatos, mas o presidente da Confederação Brasileira de Judô, Cordeiro, pediu-me: "Por favor, dê mais um pouco de si, pelos lutadores mais jovens, para incentivá-los". Então decidi me esforçar por mais um pouco de tempo. Nas classificatórias, tive lutas duras com Eduardo Mota, apelidado de "Tico", um jovem de 18 anos, e com os atletas cariocas Ricardo Campo e Luiz Virgílio, mas consegui vencer, mesmo com dificuldades, e fui ao Torneio Mundial.

Nesta época, o peso-pesado brasileiro Osvaldo Simão venceu a Bulgária na primeira luta, mas foi dobrado como uma lanterna de papel pelo soviético Novikov com um *osoto-gari*. No entanto, com isso, ele ganhou confiança, e em 1978, no Campeonato Mundial Universitário realizado no Rio de Janeiro, venceu o japonês Yoshioka, conquistando o título. E no Pan-Americano do mesmo ano, conquistou a medalha de ouro.

Minha primeira luta no torneio foi contra os EUA, a segunda, contra a Alemanha Ocidental, a terceira, Porto Rico, e fui avançando. Na quarta, enfrentei o francês Rouge. Ele era campeão europeu, e os *harai-goshi* de direita e esquerda e o osoto-*gari* eram poderosos. Três, quatro vezes veio com *harai-goshi*, mas consegui bloqueá-lo, e com *osoto-gari* de direita, consegui um *waza-ari*, conquistando uma árdua vitória, que me desgastou completamente. Depois dos 30 anos, os músculos perdem sua flexibilidade, e a recuperação física se torna mais lenta. As lesões demoram mais para se curarem, e os reflexos se tornam mais lentos também. Menos de dez minutos depois da luta com Rouge, foi feita a chamada para a quinta luta. O técnico Okano massageava meu braço, e dizia: "Ishii, *gambarê*[1]! O próximo é Sato. Como naquela vez, braço direito por baixo. Aguente firme, contra-ataque a perna que vier para o *harai-tsurikomi-ashi*. Não vá para a luta no chão. Aguente. É a desforra do ano passado. Vamos." "Entendi. Vou tentar". Sato era um adversário desde meus tempos de estudante, dois anos mais novo, formado em Educação Física. Seu apelido era "Sato, o *mamushi* (víbora japonesa)", quando agarrava, não largava, e o *taiotoshi* de esquerda e o *harai-tsuriko-miashi* eram seus golpes favoritos. Foi campeão dos pesos-leves em 1967 nos EUA, mas, no torneio da Alemanha Ocidental em 1971, na final, perdeu para Sasahara que contra-atacou seu *osoto-gari*.

Cumprimentamo-nos, quase como se disséssemos: "Venha" e "Sim" e entramos no *kumite*. Mas minhas mãos não conseguiam segurá-lo. Com as forças exauridas na luta contra Rouge, segurava a manga esquerda, mas ele conseguia soltá-la facilmente. Sato vinha cada vez mais à frente. Com *taiotoshi eashi-barai*, mirando minhas costas, tentava me levar para a luta no chão. Nesse momento, passou um péssimo cálculo pela minha cabeça: "Desse modo, não consigo ganhar. Preciso decidir mais rápido, num golpe só, '*ichika bachika*' (ou vai, ou racha)". Jogando fora as recomendações do técnico senhor Okano, fui levá-lo a um *ippon-seoi* de esquerda. O corpo de Sato subiu no ar, mas suas costas não tocaram o chão. Em seguida, me atacou com *osoto*, *ouchi-gari*, e entrei em desespero. Quando achei que não tinha o que fazer senão ir em frente, veio o golpe favorito de Sato, *taiotoshi* de esquerda, e caí para a frente, sem pensar, entrei em posição de *ukemi*. *Ippon*! Tudo pareceu parar. Abaixei minha cabeça e me afastei. Na última luta da repescagem, enfrentei Lorenz, da Alemanha Oriental. Esta luta foi mesmo uma pena. Persegui Lorenz que ficou fugindo o tempo todo de cabeça baixa. Tentei *osoto-gari*, *taiotoshi*, *ouchi-gairi*, e, normalmente, o adversário receberia pelo menos uma advertência (*Chuí* ou *keikoku*[2]), mas o juiz principal, o professor Hirose, do Japão, parecia até que estava dormindo, como se

---

[1] "Força!" (N.R.T.)

[2] Advertências ou faltas em uma competição de judô. (N.R.T.)

não soubesse de nada. Sem outro meio, atacando Lorenz que fugia, forcei um *uchi-mata*, que ele aproveitou para me levantar; eu perdi pontos, sofrendo assim uma derrota por arbitragem. Lorenz ficou em terceiro, e a final foi disputada entre Sato e Ueguchi; Sato jogou Ueguchi com *sode-tsurikomi-goshi*, uma pintura de golpe, e brilhou na medalha de ouro.

O francês Rouge, no Mundial de Viena em 1975, derrotou o japonês Michinori Ishibashi do Japão e brilhou como campeão. Depois, transferiu-se para o peso-pesado, e se tornou um grande adversário do japonês Yasuhiro Yamashita. Foi o único que conseguiu enfrentar Yamashita em condições de igualdade na sua melhor forma.

Lorenz não chegou a lutar no Japão, mas na Olimpíada de Moscou conquistou a medalha de ouro na categoria livre. Sato tornou-se o campeão no Campeonato Japonês, e foi quem formou o prodígio Yamashita, como técnico da seleção japonesa.

Tentei também a categoria absoluto, porém já não tinha nem força nem ânimo, e na terceira luta, contra o iugoslavo Zuvera, levei um *osoto-gari*, e fui derrubado. Assim terminou minha luta. A impressão era de que eu tinha me esgotado, queimado toda a energia.

O judô é um esporte onde vence o mais forte. Pode-se dizer que quase não há surpresas nos confrontos. Os adversários para quem perdi eram realmente muito fortes, sem exceção. Por isso, por mais que me debatesse, não poderia mesmo vencer. No campeonato japonês, pode-se dizer que as previsões quase sempre se acertam.

Um recorde como as 213 vitórias seguidas de Yasuhiro Yamashita seria pouco provável no sumô. Isto porque no sumô, pôr a mão no chão, ou cair sentado significa derrota[3], portanto, acontecem resultados imprevisíveis. O sumô é uma luta muito mais difícil e severa que o judô. Há o *isami ashi*, (quando no calor da luta, o pé do lutador pisa fora do círculo), *utchari*, (um tipo de inversão ou contragolpe rápido), e o círculo do *dohyô* é muito pequeno. Por isso, talvez, haja o profissionalismo no sumô.

---

[3] Na verdade, tocar o chão com qualquer parte do corpo que não as plantas dos pés, ou sair do círculo que é o *dohyô*, mesmo com as plantas dos pés. (N.T.)

Depois que me retirei dos torneios, o primeiro brasileiro que conseguiu classificação em um Campeonato Mundial foi Walter Carmona, peso-médio, terceiro colocado no 11º Torneio de Paris, na França. Ele foi meu aluno, e conseguiu copiar todos os meus golpes. Lutando de modo idêntico ao meu estilo, conquistou medalha de bronze nas Olimpíadas de Los Angeles. Seus melhores golpes eram o *taiotoshi* de direita, *osoto-gari* e *ouchi-gari*. Participou de três Olimpíadas e três Campeonatos Mundiais, lutando pelo Brasil. Creio até hoje que o melhor judoca do Brasil foi Carmona. Aurélio Miguel, que conquistou a medalha de ouro na Olimpíada de Seul, conta que se tornou forte por ter treinado com Carmona. Douglas Vieira, que conquistou a medalha de prata na Olimpíada de Los Angeles, vivia sendo arremessado por Carmona. O *kumitê* e a perícia nos golpes de Carmona eram o máximo. Douglas também sagrou-se campeão no Pan-Americano.

E assim, na Olimpíada de Barcelona, ninguém poderia prever que o brasileiro Rogério Sampaio conquistaria a medalha de ouro nos 65 quilos; no torneio mundial de Hamilton, Aurélio Miguel conquistou a prata, e Rogério, nos 71 quilos[4], conquistou o bronze. E nas Olimpíadas de Atlanta, Aurélio Miguel, na categoria 95 quilos, e Henrique Guimarães, 65 quilos, conquistaram medalhas de bronze, fazendo com que o judô do Brasil fosse reconhecido mundialmente.

O judô brasileiro tem postura e bons golpes. Tem a fama mundial de ser muito bom nos golpes no chão, *ne-waza*. O fato de brasileiros terem boas classificações nos torneios mundiais mostra sem dúvida que o nível do judô brasileiro é alto.

Mesmo o medalhista de ouro em Barcelona, Rogério Sampaio, dentro dos torneios nacionais aqui, tem sido derrotado por Sérgio Oliveira e Hirakawa, bem diante de meus olhos. Isto mostra claramente que o nível do judô brasileiro está na classe A do judô mundial.

Está ficando claro, também, entre os atletas, que os treinos que ocorrem apenas três vezes por semana são insuficientes até mesmo para competir e vencer nos torneios nacionais. Atualmente, quase todos os

---

[4] Hoje equivale aos 73 quilos. (N.R.T.)

atletas buscam patrocínio, para poderem se dedicar aos treinos e ter meios de subsistência. Não se vence mais apenas por diversão. Pode-se dizer que os atletas de primeira linha treinam o dia inteiro. Faltar a um torneio porque está trabalhando, ou por causa dos estudos já não é admissível em um atleta competitivo. É necessário sacrificar tudo, se o desejo é disputar uma medalha olímpica.

Há mais de vinte torneios internacionais na atualidade. É preciso participar deles para conhecer os adversários, e formar estratégias para futuros embates. Para participar de uma Olimpíada, há um ranking por continente, e é necessário somar pontos nesse ranking para poder participar. Os atletas se desgastam de corpo e alma nesse esforço. Na época em que competi, eram apenas campeonato Sul-Americano, Pan-Americano, campeonatos mundiais a cada dois anos e a Olimpíada a cada quatro anos; portanto, era muito mais tranquilo e fácil. Podia me concentrar no meu próprio treinamento. Hoje, gasta-se muito tempo em ajustar o peso para a categoria, treinos específicos para cada tipo de torneio. Creio que falta o tempo para que cada um, como indivíduo, possa buscar aperfeiçoar seus golpes e estilo. E ainda, o judô adaptado aos torneios não é divertido. Não se vai em busca do *ippon*. Busca-se pontos, erros e a falta do adversário para se vencer. Creio que também é hora de nós, que ensinamos, avaliarmos melhor. Não seria o tempo de voltar aos princípios caros do começo, aos velhos e animados tempos do judô da colônia? Ou isto seria apenas um lamento de um veterano? Mas gostaria de estimular a mim mesmo aquela combatividade.

Na verdade, estou escrevendo o que me ocorre à mente, de modo randômico, mas se encontrarem algum erro, gostaria que me dissessem, o que quer que seja. Também creio que a história dos pioneiros do judô no Brasil ainda continua.

Gostaria também de reavivar a memória daqueles que lutaram e deixaram seus resultados. O que eu tenho deixado é apenas a pontinha do iceberg.

HISTÓRIAS DOS MEDALHISTAS DE OURO DO BRASIL

Aurélio Miguel

Dias atrás, estava vendo TV e almoçando, quando um rosto familiar apareceu na tela. Era o horário esportivo da TV Globo, que tem audiência massiva equivalente a todas as emissoras do Japão. Estavam entrevistando o herói do judô, Aurélio Miguel.

"Quero a chance de tentar um último desafio. Até agora, conquistei medalhas de ouro no Torneio Mundial Juvenil (1983, em Porto Rico), Torneio Mundial Universitário (1984, na França), e na Olimpíada de Seul (1988, na Coreia do Sul). Mas no Torneio Mundial, o máximo que consegui foi a prata. Este ano, no Torneio Mundial que será realizado em Birminghan, Inglaterra, quero conquistar a medalha de ouro. Por isso, estou vendendo meu melhor imóvel para poder ir ao Japão e refazer meus treinos. Conhece alguém que queira comprar meu imóvel? Preciso desse dinheiro para treinar por cerca de meio ano no Japão. Por favor, ajudem-me."

Olhando para a TV, senti meus olhos marejarem. Miguel é mesmo muito esforçado. Eu mesmo poderia ter competido por mais um tempo, mas me retirei por medo de perder as lutas. Miguel nasceu no ano em que migrei para o Brasil, 1964, e quando estava dando essa entrevista já devia ter passado dos 35 anos. Mesmo assim, estava disposto a vender um imóvel para tentar buscar o sonho que ainda não havia realizado, a medalha de ouro do Torneio Mundial. De verdade, eu me curvo diante dele.

No mês anterior a essa transmissão, a Federação Paulista de Judô realizou um simpósio com os medalhistas olímpicos e demonstrações de golpes em Ribeirão Pires, São Paulo. Aurélio Miguel e mais sete medalhistas foram convidados para fazer uma demonstração diante de centenas de praticantes de judô. Como eu era o mais velho, comecei com a explicação de meus golpes preferidos, *osoto-gari* e *ouchi-gari*. Aurélio Miguel fez uma demonstração da combinação entre *taiotoshi* e *ouchi-gari*. Espantei-me porque o modo como conduzia o *ouchi-gari* era idêntico ao meu estilo, e perguntei a ele onde aprendera. A resposta dele foi "Aprendi com o Carmona". A característica do meu *ouchi-gari* é apoiar a barriga contra a barriga do adversário, isto é, umbigo contra umbigo. Com Miguel, havia a diferença entre lado esquerdo e direito, mas empurrava as pernas como se estivesse dançando flamenco, empurrava a barriga do adversário com a sua, e como se estivesse torcendo o quadril, aplicava a rasteira com a perna esquerda.

"*Sensei* Ishii, antigamente meu golpe favorito era *seoi-otoshi*. Mas como era sempre contra-atacado, mudei para *taiotoshi*. Mas com o *taiotoshi* não consigo tirar pontos. Aí, perguntei ao Carmona, que é muito bom no *taiotoshi* de direita, e ele me ensinou o *ouchi-gari*. *Sensei* Ishii me ensinou, e depois que aprendi o *ouchi-gari*, contra adversários canhotos, sempre entro na posição de *taiotoshi* e vou mudando para este *ouchi-gari* em que forço o adversário na região do umbigo, e aprendi a vencer." Foi o que me disse. E acrescentou: "Esforcei-me ao máximo para estudar este golpe, e fazia centenas de tentativas todos os dias. Na Olimpíada de Seul, como ainda não havia dominado inteiramente a técnica, não conseguia nem pontos nem *koka*, mas felizmente, apesar dos confrontos duros, consegui a medalha de ouro. Mais tarde, com a orientação do *sensei* Ishii, consegui dominar o *ouchi-gari*. Carmona me judiou bastante, mas por ter treinado tanto com ele, tenho confiança em enfrentar adversários destros. Agora, meus pontos iniciais geralmente são *ouchi-gari*.

E quando o adversário tenta evitar o *ouchi-gari*, persigo-o e o derrubo com *taiotoshi*."

"Então, você, Miguel, é meu *magô deshi* (discípulo neto, isto é, discípulo do discípulo), já que é discípulo de Carmona". Rindo, dizendo estas palavras, nos despedimos.

Aurélio Miguel não participou da equipe dos Jogos Olímpicos de 1996 em Los Angeles e no ano anterior não esteve com a equipe nacional, participava apenas dos torneios que lhe agradavam, e já se dizia que iria se retirar das competições. Mas a partir deste ano, anunciou seu retorno, e focou no alvo de conquistar a medalha de ouro no Torneio Mundial em Birmingham.

Aurélio Miguel nasceu a 10 de março de 1964, na periferia de São Paulo, na Vila Sônia. O nome de seu pai é Aurélio Miguel Marin, e sua mãe, Maria Catarina Fernandes. Miguel é o segundo entre três irmãos, dois homens e uma mulher. Seu pai é filho de espanhóis, e tinha uma pequena fábrica de bijuterias, e, quando Aurélio era pequeno, doentio e medroso, mandou-o junto com o irmão mais velho Carlos ao departamento de judô do São Paulo Futebol Clube, onde aprenderam os rudimentos do judô durante seis meses. O pai, desejando que seus filhos ficassem mais fortes, levou-os ao Dojo Shinohara, que ficava próximo de sua casa. Daí começaram os treinos verdadeiramente.

Na época, o Dojo Shinohara tinha o filho do fundador Massao Shinohara, Luís Shinohara, brilhando com a conquista de campeão Pan-Americano, e entre as inúmeras academias, era considerada a mais forte. Ali se formaram os irmãos Onmura, Tetsuo Fujissaka, Yousuke Nishimura, Jooji Tatsumi, Hiroshi Tokoyama, Massanori Yamate e muitos outros atletas de nível, e foi dentro desse ambiente que os irmãos Miguel foram treinados e fortalecidos.

Sua primeira medalha foi conquistada em um torneio paulistano, com 9 anos. Desde então, por vinte anos, participou de muitos torneios. A luta dele que mais ficou em minha memória aconteceu em um torneio seletivo realizado em Brasília, em 1978. Na época, o lutador mais forte do Brasil era Carlos Alberto Pacheco, que havia conquistado o terceiro lugar no Mundial da França. Pacheco era apelidado de "Fuscão". No

Brasil, seja no futebol ou no judô, quando se é bom e famoso, geralmente dão algum apelido. "Fuscão", carro da Volkswagen com motor mais potente que o tradicional Fusca, era aquele carro que enfrentava quaisquer estradas, sempre avançando. Pacheco, com sua força e fama de não se machucar, recebeu esse apelido.

E, na final dos pesos-leves, Fuscão e Miguel se enfrentaram. A começar por mim, todos esperavam uma vitória fácil de Fuscão. No entanto, o ainda juvenil Miguel enfrentou de igual para igual e não perdeu um ponto sequer na luta. Por decisão dos árbitros (2 a 1) foi dada a vitória a Fuscão, cabendo o segundo lugar a Miguel. Foi nessa ocasião que fiquei sabendo da existência de Aurélio Miguel. Mais tarde, quando a Federação realizou treinos preparatórios no Clube Pinheiros de São Paulo, fui chamado para dar o treinamento, e decidi me empenhar o máximo no seu treino.

Para a Olimpíada de Los Angeles, Aurélio Miguel foi escolhido como um dos sete selecionados. Nos treinos preparatórios também ele era o mais forte. Os fãs brasileiros de judô achavam que, como nessa Olimpíada houve o boicote dos países comunistas, que tinham fortes competidores, era quase certa a conquista de medalhas por Miguel, Carmona e Shinohara. Nessa época, Aurélio Miguel tinha apenas 20 anos. No entanto, por uma ninharia, ele foi retirado da seleção. E, nessa Olimpíada, seu substituto, Douglas Vieira, sem que fosse esperado, foi vencendo luta após luta, e, na final, embora tenha lutado bem e com muito esforço, perdeu na decisão por árbitros, mesmo assim conquistou a prata, contra um adversário coreano. Carmona conquistou o bronze nos 86 quilos e Luiz Onmura, de modo brilhante, conquistou o bronze nos 71 quilos. O judô brasileiro conseguiu o fato inédito de múltiplas medalhas em uma modalidade, e se fez reconhecer mundialmente. Douglas, com a medalha de prata, tornou-se herói nacional.

Entrementes, Miguel, suportando seu corte, ia treinando com afinco. Em treinos patrocinados pela Federação Paulista de Judô, vieram Kentaro Tsujihara, 5° dan, pela Fundação Japão, e, pela Universidade do Japão, Massayuki Nakano, 6° dan. Tsujihara, que tinha pegado o espírito nas Olimpíadas de Los Angeles, tinha como golpe principal um *harai-goshi* de direita poderoso, e nos tempos de estudante, havia ganhado fama como capitão da Universidade de Tsukuba; Nakano era capitão da Universidade Nacional, e no torneio universitário japonês, um implacável tomador de pontos que levou sua equipe ao vice-campeonato. Tinha como golpes o *seoi* de direita e a luta no chão. Todas as vezes, Miguel era treinado à exaustão por esses dois, e foi desenvolvendo aos poucos o espírito de resistência. Eu também o treinei bastante, e no começo, com *osoto-gari* de direita e *ouchi-gari*, ele voava facilmente ao chão, mas aos poucos, foi desenvolvendo resistência e tenacidade, não indo ao chão com tanta facilidade. Adquiriu confiança absoluta contra adversários destros, e foi adquirindo técnica para se desvencilhar de *osoto-gari*, *uchi-mata* e *harai-goshi*. E assim se preparou para a Olimpíada de Seul.

Nesta competição, também vieram, depois de oito anos, os atletas da Cortina de Ferro, tornando-se o palco perfeito para os mais fortes. Miguel estava confiante. No 15º Torneio Mundial realizado em Essen, na Alemanha Ocidental, havia enfrentado os melhores do judô mundial, e conquistado o terceiro lugar. Na segunda luta desse torneio, enfrentou o japonês Sugai, que no final foi o campeão. Miguel estava vencendo com 99% de probabilidade, mas nos dois segundos finais, foi advertido e convertido o ponto para o adversário, e acabou perdendo a luta, engolindo lágrimas de frustração. Aos olhos de todos, aquilo foi um erro de arbitragem, e os brasileiros que estavam na torcida, frustrados, diziam que Aurélio Miguel é que havia vencido de fato. Mas ele continuou na repescagem e subiu até a disputa do terceiro lugar, na qual enfrentou e derrotou o alemão ocidental Meiling Meyer. Essa confiança conquistada é que enchia Miguel.

O forte do judô de Aurélio Miguel está na forma de segurar o *judogui* e na estratégia de luta. Para 95 quilos, ele está entre os pequenos, mas a flexibilidade física e a vontade de vencer que desenvolveu desde criança explodiu na Olimpíada.

Em 1983, no Torneio Mundial Juvenil foi o campeão na categoria 95 quilos e, em 1984, no Campeonato Mundial Universitário realizado na França, também foi o campeão na mesma categoria. Assim ele adquiriu confiança e, junto à frustração de ter sido dispensado da seleção na Olimpíada de Los Angeles, ainda por cima por ter seu substituto, Douglas

Vieira, conquistado a prata e se tornado herói nacional, se tornaram os incentivos de Aurélio Miguel.

Eu não fui a Seul, mas fiquei diante da TV na sala de estar, torcendo pelo judô brasileiro. No dia anterior, a grande esperança do Brasil, que havia saído de meu *dojo*, medalha de bronze em Los Angeles, Carmona, havia perdido para o japonês Osako na segunda luta, por decisão dos árbitros. Eu pensava: "Pelo menos hoje, Aurélio Miguel deverá fazer algo por nós". O primeiro adversário de Aurélio Miguel foi o inglês Stuart, forte lutador treinado nas arenas da Europa. Miguel atacou sem trégua, não dando oportunidade de o adversário o agarrar, e venceu sem problemas, por decisão dos árbitros. O segundo adversário foi Friedriksen, da Islândia, medalha de bronze em Los Angeles. Esta luta, contra um adversário alto, foi vencida também conseguindo um *Chuí* (uma advertência) contra o islandês. A terceira luta foi contra o italiano Fazi. Neste embate também atacou sem tréguas, agarrando primeiro uma manga do *judogui*, e com uma sequência de golpes, *ouchi, taiotoshi, seoi-nague*, conseguiu a vitória por decisão dos árbitros. Na semifinal, enfrentou o adversário mais forte da competição, Sosna, da Tchecoslováquia. Sosna era campeão europeu, com muita força física, e bom aparador de golpes também. Miguel segurou a manga esquerda dele, agarrou firme na gola e forçou-o a se abaixar, puxando-o. Sosna havia chegado até aqui tendo vencido o adversário que Miguel mais temia, o francês Traineau. Sosna avançou com expressão de esforço máximo, e Miguel se defendia como um toureiro que evita ser atingido, e não o deixou aplicar nenhum golpe, fazendo com que Sosna recebesse uma advertência, *Chuí*; a dura luta terminou com a vitória de Miguel. Cada uma das lutas foi eletrizante e tensa.

A final foi contra o alemão ocidental Meiling Meyer, que havia derrotado o belga Van de Walle. Ele era alto, uma cabeça maior que Aurélio Miguel. Quando se luta com adversários maiores, deve-se agarrar sua gola mais para trás, e forçá-lo a abaixar a cabeça até a altura de seus olhos. Quando se luta olhando seu adversário para cima, ficamos em desvantagem e não se consegue vencer. Miguel agarrou-o, e atacou com *seoi, taiotoshi*, e teve devolvido seu *uchi-mata*, correndo perigo, mas atacou incessantemente o alemão, e este recebeu uma advertência (*Chuî*) do árbitro. Em todo o Brasil, diante das TVs, houve um grito de alegria. E soou a campainha do final da luta. Ficaram na minha memória a figura de Meiling, debruçado no chão, frustrado, e Aurélio Miguel, sentado e levantando os braços (*banzai*), comemorando a vitória. Miguel venceu. E a única medalha de ouro que o Brasil conquistou em Seul era sua. No dia seguinte, a conquista de Aurélio Miguel era glorificada, tornando-o um herói. O sonho de medalha de ouro olímpica que eu mesmo não pude realizar foi conquistado pelo meu *magô deshi*. Com relação a essa medalha de ouro, a revista *Kindai Judô* (Judô Contemporâneo), fez um comentário irônico menosprezando a vitória de Aurélio Miguel como sendo conquistada sem um *koka* enfurecido. Escrevi uma carta à revista, "*Dooshita, Nihon judô*" ("O que está acontecendo, judô do Japão?"), salientando o fato de que o país do judô, o Japão, também havia conquistado apenas uma medalha de ouro nessa Olimpíada, assim como o Brasil. O que o judô japonês estava fazendo?

Vi todas as lutas de Aurélio Miguel nessa Olimpíada, e senti que realmente ele se esforçou muito. No judô, mesmo que as forças não sejam equivalentes, digamos três a sete, se o lutador consegue encaixar um golpe no momento em que o adversário está preparando ainda o seu próprio golpe, há uma chance de vitória. Em relação ao sumô, o judô é considerado um esporte em que a capacidade fala mais alto, mas numa competição como a Olimpíada, em que o atleta sente muitos tipos de pressão, mesmo adversários que são facilmente derrotados em treinos, numa luta real de apenas 5 minutos, os resultados nem sempre são os esperados. Se o atleta ataca tentando um *ippon*, há também o risco de se levar um contra-ataque. A luta, para não se perder de nenhum modo, deve ser aquela em que se agarra o adversário, sem dar oportunidade de que ele ataque. Aurélio Miguel, aos 24 anos, agarrando e atacando implacavelmente, usou ao máximo sua própria energia e seguiu à risca 100 %, esta linha. Os adversários de Aurélio Miguel, em Seul, sem poderem aplicar um só golpe, perderam-se e foram derrotados. O primeiro adversário, Stuart, e o finalista Meyer foram dois que haviam vencido Aurélio Miguel com *ippon*, em um campeonato anterior à Olimpíada. Se Aurélio Miguel, agarrando a gola dos adversários, tivesse ido em busca do *ippon*, certamente ele teria vencido duas ou três dessas lutas com pontos (*koka, yuko, waza-ari, ippon*), disso eu tenho a mais absoluta certeza.

Mas para ele, este torneio era o mais importante, no qual não queria perder nenhuma luta de modo nenhum. Ele se sentia na missão de arrebatar uma medalha de ouro a todo custo. Por isso, neutralizou seus adversários e conteve-se para não tentar decidir a luta em alguns momentos, o que talvez ele preferisse, levando o embate à decisão segura dos árbitros. Não tirou pontos em nenhuma das lutas, mas todas elas foram vitórias incontestáveis de Aurélio Miguel.

Se ele tivesse ido com pressa em busca da vitória, tal qual os atletas japoneses, teria sido derrotado em contra-ataques. Mesmo o único ouro conquistado pelo Japão, por Saito, na sua luta final, ele apenas estava indo em frente, e não conseguiu nenhum ponto também, mas sua gana de vencer e a vontade de conseguir o ouro olímpico é que o fizeram superar o adversário. Tentar estabelecer quem é o melhor entre dois superatletas muito bem treinados em uma luta de apenas 5 minutos é na verdade impossível; e aquele que se arrisca mais, geralmente, acaba por perder. Sabendo disso, só posso dizer que o modo como Aurélio Miguel conduziu suas lutas foi muito sábio.

Quando dois contendores dão tudo de si, o mais forte efetivamente irá vencer. Mas em uma série de lutas, é preciso ver mais adiante. Se conseguir achar o ponto fraco do adversário, ou um momento ínfimo de distração, mesmo em desvantagem na capacidade (três a sete), pode-se vencer. O que ousar mais acaba perdendo, o que falhar mais será derrotado. Em um evento como as Olimpíadas, enfrentando e vencendo todo tipo de pressão, um jovem guerreiro de apenas 24 anos conseguir segurar suas vontades e conduzir suas lutas daquela forma é admirável. Eu mesmo não consigo agir dessa forma.

O ponto central está no modo como Aurélio Miguel se portou após Seul. Medalhista olímpico, ainda por cima de ouro, aqui no Brasil se torna um herói nacional. Emissoras de TV e rádio, a mídia em geral, correm atrás, e não houve dia em que o rosto de Aurélio Miguel não aparecesse na TV naqueles dias. O momento da vitória foi passado e repassado praticamente todos os dias. Vitasay (empresa farmacêutica) e Yakult disputaram-no, a Embratel e a Reebok firmaram contrato de patrocínio, tudo isso era noticiado diuturnamente. Também saíram as notícias de que havia aberto um novo *dojo*, que montara uma empresa para comercializar judoguis de judô e tatamis. A Olimpíada de Seul trouxe a Aurélio Miguel fama e fortuna. Ele retribuiu com generosidade a seu pai e seu irmão, que o haviam sustentado até então, e para si mesmo, contratou um treinador *nikkei* oriundo da Faculdade de Educação Física da Universidade de São Paulo para montar planejamento de treinos e supervisão da sua saúde. E descansou um tempo após Seul, concentrando seus esforços para a medalha que lhe faltava, do campeonato mundial.

Mesmo que no Brasil, na América do Sul e no Pan-Americano Aurélio Miguel não tivesse adversários à altura, ainda havia muitos oponentes pelo mundo que ele não conseguira vencer. O belga Van de Walle, o francês Traineau, o polonês Natla, o coreano Ha, o japonês Sugai. Aurélio Miguel era um estudioso, e antes das lutas, trazia vídeos que ele mesmo havia filmado, assistia conosco e depois perguntava:

– *Sensei* Ishii, quando luto com Van de Walle, ele sempre agarra minha gola direita, e me puxa, de modo que não consigo reagir. Como devo lutar contra ele? E o francês Traineau também é um adversário difícil pra mim. Ele tem pernas e braços muito longos, e é capaz de atacar de todos os lados. Contra o japonês Sugai, se não nos agarrarmos, acho que dá, conheço seu *uchimata*.

– Miguel, você é um medalha de ouro olímpico. Tenha confiança. Não deve fugir. Deve sempre ir em frente. E com sua juventude e energia, arrase. Você só pode aparar os golpes e atacar. Para melhorar seu *taiotoshi*, também deve melhorar seu *ouchi-gari*.

Sempre acontecia esse tipo de conversa entre nós.

O Brasil não participou do Mundial em Barcelona. E na Olimpíada de Barcelona, em 1992, Aurélio Miguel estava com uma lesão no ombro, e perdeu na disputa do terceiro lugar contra o russo Sergeiev, não conseguindo medalha. A oportunidade seguinte foi em 1993, em Hamilton, no Canadá, no 18º Mundial. Até a final, ele foi avançando sem problemas, e, confiante, foi à luta contra o húngaro Kovac. Como já havia vencido o húngaro em uma outra ocasião, entrou com tudo na luta. Nesse momento, o golpe de Kovac, *kuchiki-taoshi*, foi aplicado. *Ippon*. O sonho de Aurélio Miguel foi despedaçado naquele momento. Mas mesmo assim, ele disse: "Da próxima vez, vou vencer". E voltou aos extenuantes treinos mais uma vez. Um espírito de luta admirável.

Quanto mais um atleta se torna famoso, mais fica com medo de perder uma luta, isto porque o título que ele já conquistou, seja um título mundial, ou uma medalha olímpica, o precede em todos os lugares que vá, e se torna gerador de notícia. Se participar de um pequeno torneio do interior, e por infortúnio for mal, perdendo uma luta, ou se for jogado ao chão, as manchetes dirão: "Campeão mundial é derrotado", "Medalhista olímpico voa para o chão", etc. Aurélio Miguel chegou ao topo do mundo com 24 anos. Desde então, vem carregando sobre si a glória de ter sido medalha de ouro olímpico em todas as lutas que participou. Se o número de torneios não é pequeno como antigamente, pode-se escolher a dedo os eventos em que irá participar. Mas os organizadores dos torneios querem convidar lutadores famosos, e querem vê-los vencer. Árbitros convencidos dizem, com a boca cheia, "Eu fiz com que Aurélio Miguel vencesse", ou "Eu fiz com que ele perdesse", como se estivesse mostrando um troféu. Atletas são seres humanos, podem se machucar, podem ficar doentes. E pode-se também ficar sem vontade de cuidar do peso ideal, ou não ter vontade de treinar. Há muitas ocasiões em que se tem apenas a obrigação de participar de torneios, e ficar cuidando do peso é penoso. Mesmo depois de Seul, participou de mais duas Olimpíadas, Barcelona e Atlanta, e ainda conseguiu medalhas. Nos torneios mundiais de Hamilton, no Canadá (1993), e no de Paris (1997), conseguiu com brilho a medalha de prata. E nesse meio tempo, tenho visto derrotas dele tanto em torneios brasileiros como no exterior. Mas mesmo quando é derrotado, não fica ressentido, e nem quando vence se torna convencido, sempre mostra simplicidade. Normalmente os atletas, quando se tornam famosos, querem se resguardar para não manchar seu nome, procurando não aumentar o número de adversários vencedores, ou querem guardar seus recordes de vitórias, e, mais que tudo, dão muita importância aos comentários dos meios de comunicação. É muito raro que os atletas sintam o dever de lutar, enfrentando torneios diversos, e que procurem aprender algo até mesmo das derrotas, como faz Aurélio Miguel.

Atletas estrangeiros (não japoneses) não costumam ficar se prendendo tanto a vitórias e derrotas nesse sentido, e parecem apreciar o ambiente dos torneios e a sensação de tensão que percorre esses lugares. Em contrapartida, os atletas japoneses demonstram dar mais valor ao nome e ao título conquistado; por isso, ao atingirem o topo, logo se retiram dos torneios, com a desculpa de darem lugar aos que vêm atrás. Mas seres humanos devem amadurecer a cada dia. Através de muitas experiências, torneios e lutas, vão crescendo. E fazer com que essas experiências se tornem úteis para as próximas lutas é que fazem um atleta realmente crescer. É uma pena que por ter sido campeão somente uma vez, o atleta pare de participar dos torneios apenas para manter intocado seu título, sem sequer vivenciar um real crescimento humano. Existem coisas que só se aprendem com derrotas também. Como lidar com a pressão de antes das lutas, meios efetivos de controle do peso, modos de colocar a distância correta dos adversários, como tomar a dianteira ou como planejar golpes e contragolpes, como fazer um *kumite* de imobilização efetivo, modos de se entrar no *ne-waza*, modos de escapar de golpes, são coisas que não se aprendem com menos de cinco a dez anos de experiência.

Aurélio Miguel começou a lutar com 5 anos, e em trinta anos, dominou, aos poucos, todas essas técnicas. A cada derrota, aprendeu algo que o fez ficar mais forte. Isto é muito valoroso. No Japão, a base do judô é muito extensa, e como sempre vão surgindo novos e promissores atletas, pode não ser tão mal se retirar dos torneios aos 25, 26 anos. Mas fora do Japão, se parar de lutar, pode por em risco a sobrevivência do próprio atleta; é uma realidade dura, que faz com que os atletas tenham de se empenhar nos treinos e continuar com o judô. Mas não é o caso de Aurélio Miguel. Ele gosta de judô, gosta de participar em torneios, independente de críticas dos meios de comunicação e das pessoas. Participa das lutas e torneios em seu próprio ritmo, e sempre tem tido bons resultados, porque ele tem uma grande "poupança de judô", que é o seu empenho e o modo como encara o esporte.

No entanto, os meios de comunicação do Japão não admitem a grandeza de Aurélio Miguel. Ficam com os olhos voltados para a Europa e Ásia, ignorando solenemente a América do Sul. Por conta disso, em torneios internacionais, muitos lutadores do Japão tiveram resultados amargos ao enfrentarem Aurélio Miguel. Ficou indelevelmente marcada na memória a expressão de frustração do atleta japonês Kai, derrotado por Miguel e sem poder fazer nada, na Copa Jigoro Kano de 1993. No Mundial de Paris, o japonês Yoshio Nakamura foi habilmente neutralizado por Miguel, e foi derrotado sem ter ação. Além desses, muitos outros atletas japoneses foram derrotados sem sequer perceberem que foram derrotados pelo judô de Aurélio Miguel. Esta é a diferença que faz a experiência acumulada no judô. Quando se vai ficando velho, normalmente nossa vontade também se enfraquece; porém ele ainda tem muita energia e vigor. "*Sensei*, eu faço todos os dias escalada na corda e exercícios na barra de ferro. Não perco na forma de segurar o *judogui* para ninguém", disse ele sorrindo, e não deixo de pensar que ele é um gênio do judô.

Tiro o meu chapéu para o seu espírito de luta e tenacidade. Ele também tem uma boa amizade com o herói do judô belga Robert Van de Walle, e lhe tem muita admiração. Quando participa de torneios na Europa, geralmente vai à casa de Van de Walle, e pelo visto, conversam muito sobre judô. E, na volta do mundial de 1998, ao passar na casa do belga, este o desafiou, e voltou dizendo que iria lutar até os 40 anos, como o belga.

O ano de 1998 foi um ano sabático. Não fez parte da seleção do país, e participou apenas dos torneios que desejava, pois seu objetivo era de, no ano de 1999, no mundial de Birminghan, conseguir a todo custo a medalha de ouro. Para isso, estava disposto a vender seu próprio imóvel a fim de conseguir meios financeiros para ir treinar no Japão, e estava pedindo o apoio a todos pela TV.

Foi após ver Aurélio Miguel na TV, fazendo esse apelo, que resolvi escrever sobre ele. Que personalidade ele tem! Gostaria que todos nós pudéssemos apoiá-lo mais e melhor, para que possa concretizar seu último sonho.

CARTA ABERTA À REVISTA *JUDÔ CONTEMPORÂNEO*

No texto sobre Aurélio Miguel, citei a carta aberta enviada à revista *Judô Contemporâneo* (Kindai Judô), e como o texto está à mão, quero apresentá-la aos leitores também. Ela foi publicada em janeiro de 1989.

"Na Olimpíada de Seul, Aurélio Miguel, da categoria de 95 quilos, conquistou a primeira medalha de ouro olímpica no judô para o Brasil. Graças ao feito heróico de Aurélio Miguel, o judô brasileiro passa a fazer parte da elite mundial. Em comparação, o que foi que aconteceu para que o berço do judô, o Japão, ficasse com apenas uma medalha de ouro? Veio à redação uma carta aberta de Chiaki Ishii, 7º dan, veterano da Universidade Waseda. Nela, ele relata com sinceridade a situação do judô Brasileiro, e as esperanças que tem em relação ao esporte no Japão.

Aurélio Miguel, que realizou o sonho de muitos anos

Já faz quase dois meses desde o evento esportivo mundial, a Olimpíada de Seul. Em São Paulo, ficamos um bom tempo sem chuvas, mas quando chega a estação das chuvas, ela vem com certeza, o que me faz sentir gratidão pela Graça da Natureza nestes últimos tempos.

Para o nosso judô Brasileiro, a Olimpíada de Seul foi um evento de muita alegria. Isto porque, pela primeira vez na nossa história, conseguimos uma brilhante medalha de ouro.

O Brasil fica do outro lado do mundo em relação a Seul, com uma diferença no fuso horário de treze horas, e as transmissões via satélite iam madrugada adentro até o amanhecer, de modo que foi um período em que dormi pouco. Mas valeu a pena não ter desgrudado da TV durante a madrugada.

Quando me desanimei um tanto após a derrota de Walter Carmona, egresso do nosso clube, para Osako, do Japão, por decisão da arbitragem (2 a 0), no dia seguinte, Aurélio Miguel, categoria 95 quilos, após suportar uma sucessão de lutas dificílimas, na final, derrotou por decisão arbitral M.Meyer, da Alemanha Ocidental, dando ao judô brasileiro a primeira medalha de ouro olímpica. Para nós, do judô brasileiro, era a tão sonhada e esperada medalha de ouro.

No dia seguinte, desde cedo, comecei a receber telefonemas incessantes, parabenizando o feito: "Senhor Ishii, parabéns! O judô fez bonito!", e muitas e muitas pessoas se alegraram conosco. Mesmo esfregando os olhos de sono, eu me sentia muito bem. A TV e os jornais vinham me pedir entrevistas a respeito da medalha de ouro de Aurélio Miguel.

Desde que migrei para o Brasil, já se vão 24 anos. O sonho que não consegui realizar do ouro olímpico foi realizado por Aurélio Miguel, que nasceu no mesmo ano em que cheguei.

Há dezesseis anos, na inesquecível Olimpíada de Munique, competi na categoria de meio pesado, e na semifinal, Starbrook conseguiu devolver meu *kosoto-gari*, e terminei com a medalha de bronze. Ah, aquela noite, a frustração não me deixou dormir. Mas a tão sonhada medalha de ouro me foi presenteada por Aurélio Miguel, discípulo de meu discípulo (*mago deshi*). Desta feita, como alguém que participou efetivamente dos treinamentos preparatórios para a competição, sinto que não há emoção maior ou mais compensadora.

No caminho de volta da Olimpíada de Munique, com o atleta *nissei* Shiozawa e o técnico Shuuhei Okano (veterano da Universidade Chuou Daigaku, formado no ano 35 da era Showa, 1960), nós três nos comprometemos em uma coisa: que, com todo esforço, pudéssemos formar atletas no Brasil que conquistassem a medalha de ouro, para fazermos *ongaeshi* (retribuir o favor) ao judô do Japão. Era um trabalho árduo, mas nos comprometemos com tudo, pensando em dar a vida pelo judô. Assim que voltei a São Paulo, passei à prática. Com o apoio de notáveis da colônia japonesa no Brasil, comprei uma casa num terreno de 300 metros quadrados, e nos fundos, construí o *dojo*. Coloquei o nome de "Ishii Juku" (Centro de Treinamento Ishii), e reuni jovens que desejavam praticar o judô. Todos os dias treinávamos por seis horas, começando a nos movimentar em direção ao nosso objetivo.

Dentre esses jovens, surgiu o medalhista de bronze da Olimpíada de Los Angeles da categoria até 86 quilos, Walter Carmona, e José Tales, que participou do Mundial de Viena. Eu dizia a esses jovens, em provocação: "Vamos, vejam se conseguem me derrubar. Se conseguirem me vencer, também poderão fazê-lo no mundo todo. Vejam se conseguem tirar um *ippon* de mim!", e realmente suamos muito juntos. Nessa época, Aurélio Miguel tinha menos de 10 anos, e participava de torneios infanto-juvenis pelo *dojo* Shinohara, mas já dava mostras de muito talento. Diz um provérbio japonês que a planta que irá crescer muito é forte desde o broto saído da semente, isto é, que pessoas que têm talento e possibilidade de superar os outros já mostram desde a mais tenra infância sinais de talento.

Nas Olimpíadas de Montreal e de Moscou, infelizmente o judô brasileiro não conseguiu nenhuma medalha, mas na Olimpíada de Los Angeles, há quatro anos, conquistou uma medalha de prata e duas de bronze, totalizando 3 medalhas, mostrando disposição. E, finalmente, nesta Olimpíada de Seul, Aurélio Miguel finalmente trouxe a tão sonhada, única medalha de ouro após derrotar inúmeros adversários muito fortes.

O motivo da derrota do Japão

Em comparação, o que está acontecendo com o judô japonês? Entrar no sexto dia da competição sem ter conquistado uma única medalha de ouro foi algo inédito, e creio que decepcionou os fãs do judô pelo mundo afora. E mais ainda, para nós, que aprendemos judô no Japão, foi muito melancólico. Finalmente, no último dia da competição, o atleta Hitoshi Saito, categoria acima de 95 quilos, conquistou brilhantemente a medalha de ouro, salvando o judô japonês do fiasco. No entanto, se olharmos pelo torneio todo, podemos dizer que foi uma derrota fragorosa. E porque o judô japonês foi derrotado?

Pensei muito, à minha própria maneira sobre o assunto. Em primeiro lugar, o fato de haver disputas entre a Kodokan (Federação Japonesa de Judô) e a Federação Universitária de Judô. Se há disputas dentro do próprio país, fica difícil vencer fora dele. Atletas e técnico, colocando rivalidades à tona, tornam péssimo o andar dos acontecimentos.

Quanto aos treinos preparatórios, também senti que houve equívocos. Em pleno verão, começando por Tóquio, indo para o sul, Nagoya, Osaka e Nobeoka, e depois para Kyushu, para lugares cada vez mais quentes, essas passagens devem ter ajudado a minar a resistência dos atletas. Nessa mesma época, aqui no Brasil, em pleno inverno, a equipe se concentrou no Rio de Janeiro, que é mais quente, evitando o frio de São Paulo, procurando se fortalecer e se preparar para a competição sem desperdício de energia.

Eu e o senhor Shuhei Okano, convidados pelo presidente da Confederação Brasileira de judô, fomos palestrar sobre nossas experiências nas Olimpíadas, como incentivo aos atletas. Tanto Miguel como Carmona ouviram-nos com muita atenção, os olhos brilhando de expectativa. Os treinos eram de manhã cedo, antes do meio dia e à tarde, duas horas de cada vez, totalizando seis horas de exercícios intensos. Era uma agenda dura, mas não ouvi ninguém reclamando entre os 40 atletas escolhidos, sinal de que levavam muito a sério.

Aurélio Miguel, em especial, aproveitou a oportunidade em que estávamos ali, e veio nos pedir: "Meus principais adversários são três: o japonês Sugai, o coreano Ha Hyon Ju, e o belga Van de Walle, será que poderíamos assistir alguns vídeos juntos, para ver se podem me dar alguma orientação?" Então, eu e o senhor Okano vimos repetidas vezes esses vídeos, e orientamos sobre a maneira de enfrentá-los, e vimos que ele realmente estudava com afinco, pesquisando cuidadosamente.

Em segundo lugar, creio que houve problemas no fato de o Japão valorizar apenas as Olimpíadas, mandando para os torneios mundiais atletas de segundo escalão. Isto é, simplesmente deixou guardado no passado as imagens do mundial do ano anterior. Seria a oportunidade de ouro de conhecer os adversários possíveis, mas dessa forma, jogou-se fora essa oportunidade. Diz o provérbio "Não se consegue os filhotes do tigre se não entrar em sua toca", isto é, se quer grandes resultados, também deve ousar em busca deles, e o Japão evitou exatamente isso, resultando nessa derrota estrondosa, segundo eu penso. O judô japonês, com exceção de Osako, categoria até 86 quilos, não me mostrou progressos.

E será que não houve também equívocos na escolha dos atletas? Parece que alguns já tinham vaga garantida por causa de resultados no passado, e se houve vantagens e desvantagens por conta de estar de um ou de outro lado das duas federações, então torna-se mais grave ainda.

Para a escolha dos representantes brasileiros, podemos dizer exatamente que foi uma escolha rigorosa, sem nenhum tipo de favorecimento. Tão logo começou o ano, foram escolhidos os atletas que formariam o time olímpico e, de janeiro a março, foram ao circuito europeu. Começando no torneio internacional da França, foram passando em torneios pela Hungria, Bulgária, Itália, Alemanha Ocidental, Romênia, Finlândia, União Soviética, Tchecoslováquia, Polônia. E nestes torneios, Aurélio Miguel conquistou duas medalhas de ouro e três de prata, de modo que podemos dizer com certeza que ganhou plena autoconfiança.

Em terceiro lugar, será que os atletas japoneses não estão desconsiderando o espírito de luta, a gana de vencer? Em geral, os atletas japoneses da atualidade, mesmo quando perdem lutas, não demonstram frustração, e não estão parecendo um tanto apáticos? Antigamente, em torneios mundiais em que se podiam inscrever dois atletas de cada país em uma mesma categoria, os japoneses pareciam cães de caça à procura de presas, tal o ânimo de luta que demonstravam nos embates. E quase todas as finais eram disputas entre atletas japoneses.

Participei do sétimo mundial realizado em Ludwigshafen, em 1971, na Alemanha Ocidental, entre os meio pesados e os absolutos. Nesta ocasião, no meio pesado, perdi por decisão dos árbitros para Nobuyuki Sato, e depois, consegui avançar na repescagem, chegando até a semifinal. Ali, enfrentei Fumio Sasahara, e não consegui fazer nada e, em apenas quinze segundos, levei um *uchimata* e voei pelo ar. E na categoria absoluto, enfrentei Masatoshi Shinomaki, que me neutralizou facilmente, não me deixando fazer nada. Para onde foi o judô do Japão daquela época?

Que haja um renascimento como desafiantes em Barcelona[1]

Para nós, judocas que vivemos no exterior, é desejável e importante que o judô do Japão seja sempre o número um do mundo. E queremos dizer a nossos alunos, com orgulho: "Vejam! O judô japonês é mesmo forte. Vão vocês também para lá aprenderem melhor".

Miguel foi treinado pelo *nissei* Shinohara, que foi meu aluno; e o admirável nele é que ele sempre olha para a frente, com fome de vitórias. Para ele também foi bom ter sido duramente treinado por Massayuki Nakano, 6° dan, enviado pela Universidade Kokushikan, e por Kentaro Tsujihara, 6° dan, enviado pela Fundação Japão justamente na faixa dos 16 aos 18 anos. E não foi só isso: quando se deu conta de que havia limitações em treinos apenas no Brasil, foi ao Japão pagando as despesas do próprio bolso para treinar melhor. Ele tomou aulas sobre o rigor e as dificuldades do judô algumas vezes na Universidade Tokai, onde estavam Nobuyuki Sato e Yasuhiro Yamashita, outras na Universidade Internacional de Artes Marciais onde Katsuhiko Kashiwazaki ensinava. E o prêmio por ter lapidado o seu judô dessa forma foi a medalha de ouro em Seul. Aurélio Miguel sempre teve gana de vencer, com um espírito desafiador constante. Por ter sido tão dedicado ao judô é que, num mundo em que as forças se equiparam, em diferenças mínimas, ele pôde suplantar os outros. Comparando, o judô japonês é muito rico, e talvez esteja se esquecendo dessa fome de vitória tão essencial aos lutadores.

Mesmo assim, ainda que o judô japonês tenha sido derrotado em Seul, acredito com certeza que se reerguerá. Mesmo que tenham sido

---

[1] Janeiro de 1989, revista número 114.

derrotados em Seul, Toshihiko Koga e Hirotaka Okada são jovens, e muito promissores. Também na Universidade Meiji, tenho ouvido boas coisas do trio formado por Hidehiko Yoshida, Teruya Ishida e Naoya Ogawa, que vêm aparecendo bem. Penso que o judô japonês, se for bem treinado, estará no topo do mundo novamente. Esperamos esse resultado na próxima Olimpíada em Barcelona.

Alguns dizem que a emoção é o ponto de partida do esporte. Nós, assistindo à Olimpíada de Seul sendo realizada no outro lado do mundo, derramamos lágrimas de emoção com a medalha de ouro de Aurélio Miguel. Aquelas lágrimas de Yasuhiro Yamashita na Olimpíada de Los Angeles, o rosto descomposto pelas lágrimas de Hitoshi Saito em Seul – gostaria que mais uma vez estas emoções fossem recordadas pelos atletas japoneses. Quero que tenham o firme propósito de dizerem: 'Eu vou conquistar a medalha de ouro em Barcelona'.

Vendo a equipe japonesa calada em Seul, não pude suportar a tristeza e me decidi a tomar a caneta e escrever estas linhas. Acabei por falar muitas coisas duras, mas como desculpas, tudo isso saiu do desejo de quem ama a pátria natal, de querer que 'O judô do Japão seja sempre o Rei'.

O judô japonês, da época em que estudava na Universidade Waseda, era forte em todos os pontos. E, mesmo que o judô japonês reinasse absoluto, não deixava de ter o espírito de um desafiante.

Com o forte desejo de que os judocas que irão levar avante o judô do Japão possam conquistar novamente o trono mundial, mostrando a sua verdadeira face, deposito minha caneta."

Da revista mensal *SÉCULO*

Notícia da inauguração do Centro de Treinamento Ishii

Voltando um tanto no tempo, quero acrescentar uma publicação que cita a abertura do Centro de Treinamento "Ishii Juku", na revista mensal da Colônia Japonesa no Brasil, *Século*, em setembro de 1977.

Como esta revista tem vários artigos a respeito do meu *dojo*, gostaria de apresentar o texto da reportagem publicado quando da inauguração do local.

A reportagem se referia como "notícia relevante", com o título "Medalhista olímpico (Ishii, 6° dan) abre primeiro Centro de Treinamento de Judô no país", num texto de 5 páginas.

Quando se fala em Ishii, 6° dan de judô, vem-nos à mente o glorioso medalhista olímpico. Após sua retirada dos torneios, manteve aqui em São Paulo, capital, um *dojo* para treinar e orientar os sucessores, atividade que o mantém muito atarefado. No entanto, agora, com todo entusiasmo, está comprometido com a criação de um Centro de Treinamento de judô (Judô Juku). 'Os alunos do Centro de Treinamento vão poder ter casa e comida de graça, além dos horários para ir à escola, e, claro, os treinos também serão gratuitos' – é um empenho muito grande, com possibilidade de investir do próprio bolso. O mestre Ishii, preocupado com a situação do judô atual, está, agora, apostando tudo nesse centro, para treinar atletas de primeira linha, com muito entusiasmo.

"Quero produzir atletas de primeira linha. Com gratuidade total de pousada, refeições e escola."

O *dojo* que Chiaki ishii, 6° dan (36 anos) abriu na Avenida Pompéia, 1466, tem como nome "Ishii Juku"(Centro de Treinamento Ishii). Não há muita diferença no modelo centrado em treinos, mas o grande diferencial está na maneira de orientar.

Diz-se que o fundador/criador da Kodokan, Jigoro Kano, na distante era Meiji, abriu o "Kano Juku", onde treinou muitos grandes lutadores, a começar pelos "Quatro Grandes da Kodokan". Na época em que iniciou, havia apenas seis discípulos, num *dojo* de doze tatamis, treinando com muito afinco, e o objetivo de Kano era educar e formar cidadãos com caráter pleno.

Na atualidade, o termo *juku*, que por um tempo parecia estar se arrefecendo, está voltando a ser valorizado, dado seu sentido e objetivos; como exemplos, vemos o Kodogakusha (alojamento ligado à Kodokan), sob administração direta da Kodokan, e Isao Okano, 6º dan, que havia sido o responsável pelos torneios seletivos do Japão, com a colaboração de outros com o mesmo espírito, abriu o "Seiki Juku" na sua terra natal Ryugasaki, na província de Ibaraki. Está havendo uma febre de aberturas de *juku* em muitos lugares.

A ocasião e os augúrios da terra natal certamente influenciaram a abertura do *juku* do senhor Ishii, mas também houve motivos locais.

Dentro da capital, São Paulo, há inúmeros *dojos* relacionados à Confederação Brasileira de Judô, e, mesmo que o *boom* das academias de karatê esteja ocupando espaço, o número de praticantes de judô permanece alto, e os jovens também são bastante entusiastas, de modo que não parece haver declínio em quantidade.

Mas, mesmo com todo esse empenho, são poucos os atletas que conseguem resultados em torneios internacionais – na verdade, podemos dizer que atualmente não temos quase ninguém. E por que isso? Os atletas brasileiros têm talento, físico privilegiado, e começam seus treinos desde a infância, de modo que experimentam e entendem bem o judô, além de perceberem suas características, mas, quando chegam a grandes torneios, são fracos. "Por quê?" Era a pergunta que enchia a cabeça do senhor Ishii.

"Foi durante os preparativos para a Olimpíada de Montreal, em que fui convidado pela Federação a ajudar a treinar e orientar os atletas. Durante esse treino, acabei por machucar um dos atletas (na realidade, a impressão era de que este já viera com uma lesão, que acabou por se tornar evidente na hora). Como a Federação é na verdade um agrupamento, quando há reclamação dos pais e responsáveis pelos atletas, não se pode ignorar, e foi pedido que 'pegasse leve' nos treinos. Fico com pena de quem se machucou, mas nessa hora, pensei: 'Então, é isso?'. E, como nunca tive a intenção de modificar meu modo de treinar, eu saí imediatamente." Como o próprio senhor Ishii chegou a participar dos treinamentos preparatórios para a Olimpíada no Japão, achou terrivelmente irritante esse modo de treinar os atletas. Havia também a falta de entrosamento entre o técnico e os judocas, o que o fez ficar com pena deles.

A experiência dessa ocasião impulsionou seus sentimentos à indignação, e uma ideia não saia da sua cabeça: "Quero criar atletas de primeira linha com a minha própria maneira de treinar".

Mas, para realizar tal ambição, é necessário um bom investimento financeiro. E se vai levar adiante seu próprio modo de treinar, também haveria a necessidade de providenciar alojamentos para pousada, equipamentos para as refeições. Lembrando que, mesmo que haja pessoas com talento e vontade de prosseguir, se não tiverem meios financeiros, acabam por desistir no meio do caminho.

Dez pessoas que ofereceram ajuda

O sonho de "enviar ao mundo atletas mais fortes do que eu" pode ter inflado bastante, mas havia a barreira financeira, de modo que os planos para o *Juku* se atrasaram. Após muito pensar, Ishii compartilhou esse problema com amigos, que o passaram para outros, e logo vários se ofereceram para ajudar. O senhor Ishii também tem, como lutador de sumô, a força de ser o número um na colônia, e desse lado também tem muitos conhecidos, incluído o senhor Takashi Terasawa, 3° dan de Judô, e segundo colocado no sumô na colônia, que logo se tornou um dos divulgadores do empreendimento, conseguindo o apoio de Norio Ishioka, de Itapeva, com mais outros dez apoiadores.

O custo de toda essa boa vontade foi de 1,5 mil cruzeiros, somados a 500 mil cruzeiros que o senhor Ishii conseguiu vendendo uma propriedade sua, e com essa quantia foi comprada na avenida Pompéia um imóvel. Nos fundos, foi construído o dojo com área de 60 tatamis, e, a partir de agosto deste ano, foi possível colocar a placa "Ishii Juku".

Como a administração do Juku não tem fins lucrativos e a generosidade do senhor Nishioka e outros não visa retorno, é só com uma relação de confiança que estes corresponderam ao fervor do senhor Ishii. O "Ishii Juku" está registrado como um clube, e como há a manutenção do *juku*, decidiu-se que seria cobrada mensalidade mínima para as necessidades. Não são poucos os jovens que desejam vir do interior à capital para estudar, e, se possível, continuar com os treinos de *judô*, porém, por motivos financeiros precisam abrir mão, se não de um, de ambos os desejos. O senhor Ishii crê que "exatamente entre esses jovens é que deve haver atletas com talento para se tornarem de nível internacional, futuros *Kuroobis*", e por isso é que criou um sistema em que o *juku* possa cobrir desde alojamento e alimentação, até os treinos. Há alojamentos para dez pessoas no *juku*, refeitório, salão, todos equipados, e já há dois jovens que começaram seu cotidiano ali. Sob o chefe do *juku*, o senhor Ishii, começou o estilo de vida de 24 horas por dia centrado no judô, uma vida bem regrada.

"Sou profundamente grato à colaboração inestimável dos senhores Terasawa, Nishioka e outros. Claro que conta muito o apoio financeiro, mas para este empreendimento, eles expressaram suas opiniões, e aprovando tudo, esse foi o maior motivo de alegria para mim. O estilo de *juku* também está se divulgando amplamente nos países do Primeiro Mundo do judô, na Europa. A grande maioria recebe apoio dos governos locais, de modo que podem convidar excelentes mestres do Japão cada vez mais. Os seus atletas, no sistema de treinamento concentrado (*gashuku*), podem tornar o judô parte integrante de suas vidas, isto é, mergulham de cabeça no esporte. É lógico que vão aparecer atletas temíveis. Por isso, eu também quero ir atrás desse modo de encarar o judô, com firmeza. Penso em abrir as minhas portas aos jovens interioranos que não têm muitos privilégios (especialmente financeiros). E tenho certeza que, como judocas, eles poderão retribuir adequadamente." Essas são as palavras fortes do senhor Ishii.

A necessidade de união entre os atletas e o técnico

Diz-se que o judô é um esporte em que se consegue expressar sua real capacidade quando o coração, a técnica e o corpo estão perfeitamente unidos e em sincronia. Para se conseguir isso, é preciso ir desde um condicionamento físico bem feito a partir da base, passando pelo estudo das técnicas, e um treinamento emocional, que também não pode ser descuidado, treinando dia e noite por pelo menos dez anos.

É um esporte solitário, e somente os que superam isso é que conquistam a glória. Mesmo Ishii, 6° dan, que brilhou conquistando a medalha de bronze na Olimpíada de Munique, durante os duros treinos da época, chegou a pensar: "Para que e por quem preciso enfrentar tantas provas?"

Os seres humanos lutam "por alguém". Dão tudo de si por alguém com quem possam compartilhar suas alegrias. Lutam e entregam-se aos desafios por uma pessoa que, como sua sombra, batalhou, suou, chorou e riu junto, e que se alegra mais ainda do que eles mesmos por suas conquistas – este é um dos motivos que fez com que o senhor Ishii se empenhasse para fazer o *juku*. Para que ele mesmo pudesse acompanhar de muito perto, de quatro a seis horas por dia, o atleta, entendendo suas motivações, seus sentimentos, criando um ambiente propício para que isso se torne fato.

No ano passado, vimos um acontecimento exemplar a respeito do relacionamento perfeito entre técnico e atleta. Foi no torneio Intercolonial, em que se enfrentaram Tetsuo Fujisaka, 2° dan, representante do Amazonas, e o temível Arnaldo, 2° dan, representante de São Paulo. Para essa disputa final, todas as apostas eram a favor de Arnaldo. No entanto, contra todas as previsões, quem venceu foi Fujisaka. Com esta luta, foi muito comentado o fato de que, atrás de Fujisaka, sem se desviar um só instante, seu técnico e pai o estavam apoiando.

Os técnicos brasileiros, de forma geral, não costumam fazer mais do que dar instruções e sinais a seus atletas, e como dificilmente técnicos e mestres se oferecem para lutar com eles, os que vão se aperfeiçoando acabam por não encontrar adversários para treinar. E esse é o motivo por que "os atletas brasileiros que vão participar em torneios internacionais são fracos"; o fato de não encontrarem outros mais fortes que possam desafiá-los e treiná-los. Na Europa, é comum os atletas de muitos países diferentes se enfrentarem, encontrando chances de se desenvolverem muito mais.

Se não há rivais à altura, e nem desafios e provocações dos técnicos nos treinos, a garra e o espírito de luta vão se enfraquecendo. O senhor Ishii lamenta que os atletas brasileiros também precisem aprender a serem mais persistentes. "Mas não é apenas culpa do técnico. Diante de campeonatos, mesmo que participem de concentrações de treinos, como o orçamento é limitado, o técnico tem de levar sua própria marmita. Por isso, a maioria das pessoas está ocupada com seus próprios trabalhos, ou não tem meios de suporte financeiro, fazendo com que não se empenhem nos treinos. No final das contas, alguém terá de sacrificar sua própria vida pessoal para 'servir'; isto é um problema do judô como um todo aqui. Quando finalmente um atleta começa a ficar bom, aparecem outros impedimentos e ele para os treinos. Porque, dizendo às claras, não se pode comer apenas praticando judô. Também não há estrutura dentro da sociedade que possa impulsionar o judô, por isso alguém, como indivíduo, terá de arcar com alguma parte para que possamos formar grandes atletas. Esse é o meu objetivo de vida, o que eu quero realizar." Assim, o mestre, com quatorze anos de vida no Brasil, encerra a conversa.

No bairro da Pompéia, entre as casas sossegadas, já cedo os gritos de *kiai* dos jovens cortam os ares. São ainda iniciantes de faixa branca. Mas o modo vivo como vão de encontro ao peito do mestre Ishii, que está lhes ensinando o judô no contato pele a pele, parecia transbordar de entusiasmo.

"Creio que, dentre estes, daqui a dez anos, sairão medalhas de ouro olímpicas", é o que pensa o homem que entregou sua vida ao judô e os dez que o ajudam.

Rogério Sampaio

Creio que isso ocorreu no ano de 1992. A convite da Federação Japonesa de Judô como instrutor de judô residente no exterior, fui assistir à 5ª Copa Jigoro Kano. Nessa ocasião, reencontrei-me com meu velho rival Nobuyuki Sato e pudemos ter bons momentos de conversa.

Ele é conhecido como o treinador que formou o lendário Yasuhiro Yamashita, e tem um retrospecto notável. Sato foi campeão do Japão em 1974 e, no 5º Mundial de Salt Lake City e no 8º de Lausanne, foi o campeão nos 95 quilos. Com o apelido de "Mamushi" (víbora), a força de seu *ne-waza* era temida por todos. Eu mesmo, nos mundiais de Ludwigshafen e de Lausanne, enfrentei-o duas vezes, tendo perdido nas duas ocasiões, de modo que não posso me gabar diante dele; porém, como na faculdade sou veterano com uma diferença de dois anos, ele, de modo cordial, veio contar muitas das suas dificuldades. Nessa época, ele estava como supervisor da equipe japonesa, e era o homem do momento no mundo do judô.

– Senhor Ishii, antigamente é que era bom! Havia muitos estudantes, e mesmo que os fizéssemos sofrer um tanto, todos cerravam seus dentes e nos acompanhavam. Agora, se batemos um pouco, o professor é despedido, e precisamos adular e elogiar os alunos senão eles não aparecem. Na nossa época havia muitas crianças, por isso havia muitos atletas que eram irmãos entre si. Agora, com a diminuição da natalidade, as crianças que têm algum talento nato para esportes vão sendo tomadas por esportes mais vistosos, que chamam mais a atenção e, em todas as universidades, os departamentos de judô estão tendo diminuição de membros, e o maior esforço está sendo para se manter esses departamentos. Futebol, beisebol, futebol americano têm muitos membros, mas esportes discretos e não chamativos como o judô estão mal. Quando encontramos um jovem promissor, logo acaba sendo levado ao beisebol profissional ou para o sumô, e não praticam mais judô. Desse jeito, será que não vai chegar o momento em que o judô japonês irá voltar com zero medalhas de ouro de campeonatos mundiais e Olimpíadas?

– Acho que não vai ser assim tão ruim. Vocês ainda não têm atletas fantásticos? Lá no Brasil, para cada categoria, temos só dois ou três que levam o esporte realmente a sério. Há uma diferença enorme na quantidade.

– Mas, senhor Ishii, daqui para a frente, para ser campeão mundial ou olímpico, apenas os gênios muito talentosos é que conseguirão. Já passou o tempo em que se qualquer um de nós fôssemos aos torneios poderíamos vencer. Somente atletas extremamente talentosos, como o Yamashita, que nasceu para ser lutador, é que podem vencer agora. E mesmo aqui no Japão, não existem tantos gênios talentosos assim.

– Como é que o gênio Sato diz uma coisa dessas?

– Não, eu não sou um gênio do judô. Meu irmão mais velho, Nobuhiro, tinha muito mais talento do que eu, era mesmo um gênio. Eu apenas fui aprendendo com meu irmão, e consegui chegar até aqui. Nem tampouco pratico um judô bonito como Isao Okano, sou mais discreto, e, com esforço, é que consegui subir; por isso, também entendo os sentimentos dos atletas que estão se esforçando, como se estivessem na palma da minha mão. Apenas vim com tudo, tentando ir atrás de meu irmão mais velho, seguindo seus passos, não querendo perder para ele, tentando alcançá-lo.

– Entendo. Então, você também passou por isso. Meu maior rival também era meu irmão mais velho, e vim praticando judô apenas tendo como objetivo não perder de meu irmão.

Meu irmão mais velho, Isamu Ishii, também era um gênio do judô. Com 1,70 metro de altura e 70 quilos, era pequeno para um lutador, mas, mesmo assim, na Universidade de Waseda, desde o primeiro ano, foi titular da equipe de judô, e nos quatro anos como universitário, foi uma das forças principais do departamento de judô da Universidade de Waseda. Em torneios universitários, de Tóquio e também de todo Japão, recebeu prêmios de atleta mais técnico, de melhor atleta da competição, e quando estava no quarto ano, foi o capitão da equipe de Waseda, escolhido como um dos integrantes da equipe da Federação de Judô Universitária do Japão que foi aos EUA em 1956. Embora fosse peso-leve, sempre enfrentava adversários de quase 100 quilos de igual para igual, e no torneio universitário de 1956, foi um dos responsáveis para que a Universidade de Waseda fosse a vice-campeã, pela primeira vez no pós-guerra.

Os resultados de seus tempos de universitário eram o orgulho de meu pai. Seu *taiotoshi* de direita, *seoi-nague*, *tsurikomigoshi* ainda são lendários na Universidade de Waseda. Após a formatura, foi à França, como parte do intercâmbio de judô entre Japão e França, rodou por vários países na Europa por oito anos, como técnico, contribuindo para o crescimento do judô europeu. Eu era oito anos mais novo que ele, por isso, nos meus tempos de universitário, ele não pôde me ensinar, mas segui seus passos no colegial e na universidade. E sempre me diziam: "Então você é o irmão mais novo de Isamu Ishii? Que diferença entre o seu judô e o do seu irmão! Que raios de *osoto-gari* é esse seu? Aprenda um pouco com seu irmão. Que desastrado... Se pudesse haver um jeito de receber um pouco do talento do seu irmão...". De modo que sempre era comparado com meu irmão mais velho, em todos os lugares. Até mesmo meu pai dizia: "Isamu foi titular desde o primeiro ano da universidade. Mas você, só agora, no terceiro ano é que finalmente se tornou titular da equipe? Ah, o judô de Chiaki é tão periclitante que não dá para ficar assistindo", sempre me comparando com ele. Por isso, meu objetivo era tentar não perder de meu irmão, e todo meu esforço era para isso.

Ouvindo o que o senhor Sato me contou a respeito do irmão mais velho dele, vi que havíamos passado pelas mesmas situações, e pensei mais profundamente sobre o relacionamento entre irmãos.

O que é ser irmão, e o que é o relacionamento entre irmãos? Isto tem muito a ver com a história que quero contar a seguir, do medalhista de ouro olímpico Rogério Sampaio, por isso me alonguei contando as lembranças que eu e Sato tínhamos em relação a irmãos mais velhos.

Na Olimpíada de Atlanta, discípulos de Sato, oriundos da Universidade Tokai, os irmãos Nakamura, Yoshio, Yukinari e Kenzo participaram como representantes do Japão. O caçula Kenzo conquistou a medalha de ouro nos 71 quilos, o segundo, Yukinari, medalha de prata nos 65 quilos, e o mais velho, Yoshio, não conseguiu medalha, mas gritava na torcida por seus irmãos mais novos, e quando o caçula Kenzo venceu o atleta coreano por decisão arbitral, pulou chorando de alegria, uma cena inesquecível. Realmente, foi magnífico os três irmãos terem passado pelas classificatórias no Japão, e terem conquistado medalha de ouro e prata. E, se o irmão mais velho de Rogério, Ricardo, estivesse vivo, certamente estariam os dois juntos no pódio em Barcelona. Os irmãos Sampaio eram, dessa forma, realmente geniais lutadores de judô.

Conheço os dois desde a infância, por isso, me permito contar um pouco sua história.

Rogério Sampaio Cardoso, que brilhou na Olimpíada de Barcelona com a única medalha de ouro da equipe brasileira de judô, nasceu em 12 de setembro de 1967, na cidade portuária de Santos. Seu pai era Sidney Cardoso, sua mãe, Neusa Sampaio Cardoso. Levado pelo seu irmão quatro anos mais velho, Ricardo, começou a treinar judô no Dojo Paulo Duarte, aos 4 anos. Os irmãos Ricardo e Rogério, sob a orientação do excelente técnico Paulo Duarte, foram se desenvolvendo a olhos vistos. Foram subindo nas faixas, azul, amarelo, laranja, verde, roxo e marrom rapidamente, e ao completarem 17 anos, já eram faixa-preta. Desde a juventude, os irmãos Sampaio mostravam habilidade nos golpes muito acima da média. Como representantes da cidade de Santos, venceram em torneios regionais. Torneio Paulista, Copa Benemérito, Torneio Brasileiro, Pan-Americano, em 1985 e 1987 foram campeões classe júnior. O maior rival de Rogério sempre foi seu irmão Ricardo, a quem, por ser quatro anos mais novo, quase nunca conseguia vencer.

A diferença de idade na infância foi fundamental, e Rogério sempre apanhava do irmão, mas foi assim que foi ficando cada vez mais forte. A característica desses irmãos era que, apesar de serem peso meio leve, os dois eram altos para a categoria; Ricardo tinha 1,76 metro, Rogério 1,77 metro. Mesmo com essa altura, o *seoi-otoshi* de esquerda, *ouchi-gari*, *kosoto-gari* e *de-ashi-barai* de Ricardo eram muito bons. Eu treinei bastante com Ricardo também. Nos treinos e preparativos dos atletas mais capazes, e nos treinos da Federação Paulista de Judô, os dois sempre vinham de Santos. Como vinham de longe, eu me oferecia para ser-lhes adversário de treino. Ricardo insistentemente me perguntava sobre meu golpe favorito, *osoto-gari*, por isso lembro-me de que lhe ensinei. Nessa época, ainda tinha bastante vigor físico, tentava derrubar Ricardo de verdade, mas ele, com leveza que lembrava Ushiwakamaru[2], desviava seu corpo, e acabei, certa vez, levando um *okuri-ashi-barai*, indo ao chão, totalmente frustrado.

---

[2] Lendário nobre adolescente do Japão feudal, capaz de se desviar com velocidade e destreza de golpes de espada e outras armas. (N.T.)

Nas seletivas para a Olimpíada de Seul, Ricardo foi o vencedor, e Rogério seu reserva. Na categoria de até 65 quilos, os dois eram uma cabeça mais altos que seus adversários, e seus golpes certeiros eram muito bons.

Ricardo praticava um judô tradicional, com ótima postura, reação excelente do corpo, e velocidade. Ele se parecia um pouco no estilo com meu mestre da Universidade de Waseda, Osawa. Já Rogério tem certa semelhança nos golpes com Hiroshi Minatoya, gênio do judô oriundo da Universidade Tenri, da minha própria época, um bom aplicador de golpes que foi duas vezes campeão mundial. Os dois pareciam que haviam nascido para lutar judô, com uma força incomum nos quadris, pernas e braços longos, e um equilíbrio espantosamente bom.

A experiência de Ricardo na Olimpíada de Seul foi transmitida a Rogério. Infelizmente, Ricardo perdeu logo na primeira luta em Seul, para o forte tcheco Petrikov, por pontos, e não se classificou. Nas Olimpíadas e nos Mundiais, a primeira luta é fundamental, pois ali estão atletas que passaram por várias seletivas pelo mundo todo, os mais qualificados, se enfrentando nas melhores condições, ainda descansados. E ainda há aquele desejo de, como representante de seu país, procurar a glória. Se não houver uma grande diferença nas habilidades, ou não houver erro, é mais comum que a decisão vá pelos árbitros, com o uso de bandeiras. E o mais azarado perde. Se se perde a primeira luta, praticamente não há mais chances de se conseguir uma classificação, pois a repescagem envolve até mais de quatro lutas a serem vencidas, o que torna a situação muito difícil.

Na minha época de competições, sempre perdia para atletas japoneses ou europeus, e ia para a repescagem, suando muito. Os braços ficam duros como paus, os dedos não conseguem mais se mover, e se torna impossível agarrar adequadamente na manga ou gola do adversário, e logo ele se soltava. No final, era agarrar-se de qualquer jeito no pescoço do adversário, e tentar dar uma rasteira com as pernas. E o que falava mais alto, afinal de contas, era o quanto realmente eu havia treinado.

Ao voltar ao Brasil, Ricardo ensinou essas coisas a Rogério. Os dois colocaram como alvo a próxima Olimpíada, a de Barcelona, passando a treinar oito duras horas por dia, juntos. Mas aconteceu uma tragédia inesperada. Era abril de 1991, o ano anterior à Olimpíada, Ricardo, por causa de uma frustração amorosa, suicidou-se enforcando-se com sua faixa preta favorita. Rogério, por um tempo, após a morte do irmão, ficou sem fazer nada, afastando-se temporariamente dos torneios oficiais. Mas quando aceitou a morte do irmão, como se fora por revelação divina, resolveu que iria vencer na Olimpíada, em lugar de Ricardo.

Decidiu que iria treinar os golpes mil vezes por dia, com corrida, musculação, treinos de puxar corda pela manhã e a noite, tudo o que Ricardo lhe havia ensinado. Naquele mesmo ano, em setembro, com o patrocínio da Cooperativa Agrícola de Cotia, vi a ação de Rogério na Copa Vinte, realizada em Bastos, que pela primeira vez iria dar um prêmio de mil dólares. Parecia que ele não tinha consciência de seus adversários, era como se ele estivesse correndo pelos ares, derrubando seus adversários um após outro, tornando-se o vencedor. Sua força era tal que até parecia ter encorporado outro lutador, e era como se estivesse jogando toda sua raiva nos seus adversários. No circuito europeu de 1992, venceu no Aberto da Suíça e no Mundial da Áustria. E nas seletivas para a Olimpíada de Barcelona, mostrou força extraordinária, conquistando um lugar na seleção.

Como minha filha mais velha, Tânia, e seu marido, Mike Swain, iriam dos EUA para participar da Olimpíada de Barcelona, eu também me dirigi para lá. Nossa esperança, Aurélio Miguel, foi derrotada na disputa do terceiro lugar, pelo russo Sergeiev, e meu aluno peso-médio, Castropil, perdeu na primeira luta. E chegou o dia da luta de Rogério.

Achando que desta vez ele faria alguma coisa, dirigi-me ao recinto onde ocorria a competição. Era 1 de agosto de 1992, uma manhã quente. O primeiro adversário de Rogério foi o português Augusto Almeida. No momento em que se agarraram, com um *osoto-gari* de encher os olhos, *ippon*! A segunda luta foi contra o coreano Kim San Mum, muito mais perigoso. Pendurando-se no alto, Rogério foi tentando *seoi-nague*, conquistando pontos. Todo o time do Brasil torcia por Rogério. No instante em que a perna de Kim parou, veio o golpe *osoto-gari* certeiro de Rogério, *ippon*! O juiz levantou a mão. Foi uma vitória de virada.

Incrédulo, Kim caiu no chão cobrindo o rosto. O adversário seguinte era o argentino Francisco Morales, já conhecido em torneios Sul-Americanos, e Rogério o perseguia como um cão de caça procurando a presa. *Kosoto-gari, osoto-gari* e, por fim, imobilizou-o com *yoko-shiho-gatame*, vencendo com facilidade. Começou a repescagem, e as lutas adentraram a noite. O adversário da semifinal era o campeão do 17º Mundial de Barcelona, o alemão Udo Quellmalz. Posso dizer que esta foi, de fato, a final. Rogério mostrava tensão no rosto. A torcida brasileira se agitou. Fizeram-me vestir uma camiseta verde-amarela, as cores do Brasil, me fizeram segurar uma bandeira, que agitava, eu estava gritando com todos os outros torcedores. Cheio de confiança, Udo Quellmalz tentou aplicar *seoi-nague* de direita, mas Rogério, com seus braços longos, conseguiu evitar. Tentou contra-atacar com *osoto-gari* e *kosoto-gari*, mas o adversário se manteve firme. A torcida brasileira gritava freneticamente, "Rogério! Rogério!" em coro. Golpes de carregar, como o *seoi-nague*, gastam um bocado de energia e, em comparação, os golpes de perna são mais numerosos. Udo Quellmalz começou a mostrar sinais de cansaço, e Rogério mandou uma sucessão de golpes de perna à distância. Finalmente, o juiz principal deu uma advertência, *chui*. O grito da torcida aumentou, os cinco minutos da luta se foram, e a bandeira foi levantada para Rogério. Quellmaz desabou, enquanto Rogério pulava de alegria.

    O adversário da final foi o húngaro József Czák. Esta luta foi muito mais fácil que a semifinal. Rogério aplicou *osoto-gari* e conseguiu um *waza-ari*. Desesperado, Czák tentou um *tomoe-nague* e conseguiu um *koka*, mas Rogério mandou outro *osoto-gari*, e conseguiu um *yuko*. A campainha soou indicando o final da luta. Sem poder falar, emocionado, Rogério mal cumprimentou o adversário, e correu para a arquibancada onde estavam Aurélio Miguel e Castropil, abraçando-os em lágrimas. Estes o jogaram para cima (*dou ague*), numa comemoração. Aconteceu um milagre.

    No mundial do ano anterior, o Brasil não havia participado, por isso, ninguém havia marcado o nome de Rogério. Mas a combinação perfeita de seus *osoto-gari* e *kosoto-gari*, aliados à sua estatura, enfrentando de forma ereta e agarrando seus adversários pela gola era formidável. Quando voltou ao Brasil, Rogério era o herói do momento. Diferente de Aurélio Miguel e sua conquista, o modo incontestável como venceu chamou a atenção. O Banco do Brasil o premiou com uma barra de ouro de 1 quilo. Surgiu um novo mito, Rogério Sampaio, que superou a trágica morte do irmão, conseguindo uma medalha de ouro milagrosa.

Mas a vitória de Rogério Sampaio não foi por acaso. Ele se esforçou ao máximo para vencer. Treinos diários de oito horas, correndo na orla de Santos 10 quilômetros toda manhã, treinando mil golpes por dia é que deram como resultado a medalha de ouro.

Alguns chegaram a dizer que ele estava possuído pela alma do irmão falecido. No ano seguinte, em Hamilton, no Canadá, no 18º Mundial, elevou seu peso para 71 quilos, subindo uma categoria, e conseguiu o terceiro lugar. A medalha de bronze é muito mais difícil de conseguir que a de ouro, pois o número de lutas, por causa da repescagem, é maior. E nessa categoria, são muitos os lutadores fortes no mundo todo.

Atualmente, Rogério mantém em Santos, sua cidade natal, a Associação de Judô Rogério Sampaio. Este era o sonho de seu pai. E esse *dojo* é um dos que mais se sobressaem no estado de São Paulo, pois de lá saíram Daniela Zangrando, medalha de bronze no campeonato mundial feminino, o campeão da categoria 95 quilos[3] do Pan-Americano júnior, Rafael Souza Rocha, e o campeão juvenil Pan-Americano Jorge Ramos.

Infelizmente, Rogério não se classificou para a Olimpíada de Atlanta. Mas creio que ele é muito digno. Quando se começa a ensinar judô, o atleta fica um pouco mais fraco. Morando em Santos, formando ótimos alunos, é respeitado por todos, e trazer ao país uma medalha de ouro olímpica e uma medalha de bronze do Mundial é um mérito.

O nome de Rogério Sampaio está brilhando na história do judô brasileiro. Só participar de uma Olimpíada já é difícil, e ele conquistou a medalha de ouro, um verdadeiro pioneiro do judô no Brasil.

---

[3] Hoje, 100 quilos. (N.R.T.)

Pós-escrito

O segredo da força do judô dos irmãos Sampaio pode ser creditado ao futebol e vôlei de areia, muito populares em Santos e no Rio de Janeiro. Nos finais de semana, as praias de Santos ficam cheias de praticantes das duas modalidades. Desde crianças, os irmãos Sampaio jogavam futebol de areia na praia. Mesmo nos intervalos dos duros treinos de judô, corriam à praia para ir atrás da bola branca. Se deixassem, podiam ficar duas, três horas seguidas brincando. Acho que o modo como os pés comandam a bola no futebol de areia têm muito a ver com os golpes de pernas dos dois. E, além disso, correr na areia mole da praia desenvolveu neles uma resistência que não deu trégua para nenhum adversário. Pode parecer um pouco desconexo, mas me lembrei desses detalhes numa noite de insônia, e achei por bem juntar ao texto.

Michael (Mike) Swain

Aqui, quero falar sobre um atleta que é considerado o melhor judoca americano, Mike Swain. Isso porque Mike é casado com uma brasileira, e tem como segunda pátria o Brasil.

Ele foi escolhido como representante do judô americano. Na Olimpíada de Seul, conquistou o bronze. No Torneio de Essen, na Alemanha Ocidental, em 1987, conquistou o ouro; no torneio anterior, dois anos antes, em Seul, conquistou a prata. E em 1989, no Torneio de Belgrado, na Iugoslávia, perdeu na final para o japonês Toshihiko Koga, ficando com a prata, totalizando três medalhas em Mundiais.

Desde que se tornou campeão juvenil dos EUA, em 1974, até a Olimpíada de Barcelona, por dezoito anos, foi a principal força da equipe do judô dos EUA em muitos torneios e eventos esportivos mundiais, conquistando sete medalhas de ouro, dez de prata e dez de bronze, incluídos Campeonatos Mundiais, Olimpíadas, Jogos Pan-Americanos, Copa Shoriki, Copa Jigoro Kano e Circuito Europeu.

Um judoca normal considera o máximo se puder participar de uma Olimpíada. E a grande maioria apenas sonha com um pódio em

Seikichi Ishii, avô de Chiaki Ishii. Foi 6º dan de Jigoro Kano e seu aluno direto. Década de 1940.

Professores de judô enviados pela primeira vez ao Brasil, em São Paulo, década de 1960. Da esq. para a dir.: Yoshimatu Yoshihiro, Takagaki (8º dan) e Ozawa Yoshimi.

Professor Kurachi aplicando um hanegoshi de esquerda, São Paulo, na década de 1960.

4º Campeonato Mundial de Judô no Rio de Janeiro, 1965.

Equipe paulista de judô no Campeonato Brasileiro, 1965.

Atletas da seleção japonesa no Campeonato Universitário Mundial de Judô, no Rio de Janeiro, 1965.

Equipe japonesa que veio a convite para o Brasil participar do 17º Campeonato Pan-Americano em Londrina, 1970.

Equipe do Japão no 17º Campeonato Pan-Americano em Londrina, 1970.

Equipe brasileira de judô no 17º Campeonato Pan-Americano em Londrina, 1970. Os atletas conquistaram as primeiras posições nas categorias peso médio e livre.

Equipe brasileira e japonesa no 17º Campeonato Pan--Americano em Londrina, 1970.

Pódio da categoria peso absoluto do 17º Campeonato Pan-Americano em Londrina, 1970. Da esq. para a dir.: Antonio Casinas (Argentina), Chiaki Ishii (Brasil) e Gregori (Canadá).

A partir do segundo, da esq. para a dir.: Wakanohana e Chiaki Ishii. Ishii é yokozuna (graduação máxima) no sumô. São Paulo, década de 1970.

7º Campeonato Mundial na Alemanha Oriental, 1971. Da esq. para a dir.: Yoshima Ozawa, Chiaki Ishii e Kaminaga Akio.

Cerimônia de premiação dos Jogos Olímpicos em Munique, 1972. Chiaki Ishii recebeu a medalha de bronze.

Semifinal do 8º Campeonato Mundial de Judô realizado em Lausanne, 1973. Chiaki Ishii lutou contra Nobuyuki Sato.

Torneio Benemérito de Judô, em São Paulo, 1976. Chiaki Ishii luta contra Daniel.

Pela segunda vez, a Academia Ishii recebe o prêmio do Torneio Benemérito de Judô, em São Paulo, 1976. Chiaki Ishii recebe o prêmio ao lado de Carmona e Tales José.

Representantes da Academia Ishii no 3º Torneio Benemérito de Judô, em São Paulo, 1978. Em pé, da esq. para a dir.: José Tales, Walter Carmona, Tales José e Wilson. Agachados, da esq. para a dir.: Masramitrei Suguino e Manuel. Agachado, o segundo da dir. para a esq.: Rioiti Uchida. Os demais judocas que aparecem na imagem são da equipe adversária.

As filhas de Chiaki Ishii quando iniciaram no judô, 1978. Da esq. para a dir.: Luiza Mie, Vânia Yukie e Tânia Chie.

Equipe brasileira no 7º Campeonato Mundial de Judô realizado na Alemanha. O segundo da dir. para a esq. é Cordeiro, chefe da delegação.

Campeonato Pan-Americano na Argentina, 1980. Na frente, do segundo da dir. para a esq.: Chiaki Ishii e Shiozawa.

Equipe brasileira de judô que ganhou o Campeonato Pan-Americano em Buenos Aires, 1980. Em pé, da esq. para a dir.: Naito, Cordeiro, Umakakeba, Luiz Shinohara. Em pé, o quarto da dir. para a esq. é Chiaki Ishii. Agachados, da esq. para a dir.: Shiozawa e Roberto.

Chiaki Ishii recebe a premiação de primeiro lugar do Campeonato Pan-Americano na categoria peso absoluto, em Buenos Aires, 1980. Em segundo lugar, se classificou um atleta argentino e, em terceiro, um canadense.

Lutadores de sumô em São Paulo, na década de 1980. Em pé, o primeiro à esq.: Chiaki Ishii. Agachados, da dir. para a esq.: Onodera e Aurélio Miguel.

O primeiro da esq. para a dir.: Bunazawa. A partir do terceiro, da esq. para a dir.: Okano e Chiaki Ishii. A partir do quarto, da dir. para a esq.: Yamashita e Inokuma. São Paulo, década de 1980.

Campeonato Brasileiro de Judô em São Paulo, década de 1980. A partir do segundo, da esq. para a dir.: Chiaki Ishii, Nakano e Tsujihara.

Da esq. para a dir.: Chiaki Ishii e Yasuhiro Yamashita. Década de 1980.

Prêmio Paulista de Esporte, 1981. Da esq. para a dir.: Naito Katsutoshi e Yanaguimori.

Rogério e Ricardo Sampaio com os pais, 1986. De pé, da esq. para a dir.: Rogério e Ricardo.

Família Ishii estampa a capa da revista Judô nº 15, de janeiro de 1988. Da esq. para a dir.: Luiza, Chiaki Ishii, neta de Chiaki Ishii, Michael, neto de Chiaki Ishii, Tânia e Vânia.

Equipe brasileira no Campeonato Pan-Americano de Porto Rico, 1990. Da esq. para a dir.: Oliveira, Carla, Solange, Cecília e Tânia.

Tânia Chie recebeu medalha de prata no Campeonato Pan-Americano de Porto Rico, 1990.

Professor Umakakeba com seu filho Tetsu nos Jogos Olímpicos de Atlanta, 1991.

Visita da Kodokan ao Brasil, 1997. Da esq. para a dir.: Abe Ichiro, Chiaki Ishii, Kano Yukimitsu e Okano Shuhei.

Vânia Yukie recebeu medalha de ouro no Campeonato Pan-Americano em Winnipeg, no Canadá, 1999.

45º Prêmio Paulista de Esporte, 2000. De pé, o primeiro da esq. para a dir.: Takanosi Sekine. Sentados, da esq. para a dir.: Ukano Shuhei, sua esposa Keiko, Vânia, Ianaguimori Massaru e Chiaki Ishii. De pé, o terceiro da dir. para a esq.: Tani Hiromi.

Família de Michael Swain no Rio de Janeiro, 2007. Da esq. para a dir.: Sofia Mitiyo, Tânia, Michael e Michael Masato.

Integrantes da Kodokan do Brasil na Arena Olímpica do Judô no Ginásio do Ibirapuera, 2010. Da esq. para a dir.: Sekine, Adachi, Tajiri, Ukano, Chiaki Ishii e Asaka.

Kangueiko realizado em Bastos, 2011.

Universidade de Waseda, 2012. Da esq. para a dir.: Chiaki Ishii e Yochimi Ozawa (10º dan).

Grand Slam no Maracãnazinho, Rio de Janeiro, 2013. Da esq. para a dir.: Oswaldo Simões, Aurélio Miguel, Chiaki Ishii e Sato Nobuyuki.

Chiaki Ishii na academia da Pompeia, 2013.

um Mundial, mas Mike Swain participou de cinco Mundiais, tendo vencido um e ficado com o vice-campeonato em duas ocasiões. O japonês Shozo Fujii conquistou quatro títulos Mundiais, mas ele nunca participou de uma Olimpíada. Também são poucos os judocas leves e velozes que duraram tanto tempo no circuito mundial. Mesmo perdendo, nunca se deu por vencido ("*never give up*"), e prosseguiu por muito tempo como um lutador realmente forte.

Quero contar aqui a respeito do judô de Mike Swain; seu histórico, conforme ele mesmo relatou.

Mike nasceu no dia 21 de dezembro de 1960, na Costa Leste dos EUA, em Nova Jersey. Seu pai era Harry Swain, sua mãe, Loretta Swain, de origem irlandesa. Tem um irmão mais velho, Mark, e uma irmã mais nova, Michelle. O tio de Mike aprendeu judô na Marinha, e se tornou fã do esporte, chegando a incentivar o pai de Mike, Harry, que levasse os filhos para aprenderem judô. O senhor Harry demorou a aprovar isso, mas a mãe, Loretta, concordou, e decidiu que os dois meninos aprenderiam judô. Ela levou os dois irmãos ao *dojo* de Richard Meola, amigo do tio. Nessa época, Mike tinha 8 anos. Richard Meola era discípulo de Yoshisada Yonetsuka, veterano da Universidade Nihon Daigaku, e pouco depois de começarem os treinos, Meola disse a Loretta a respeito de Mike: "Este garoto tem muito talento. Com certeza, no futuro, poderá ser um campeão mundial". Mas a mãe, Loretta, não deu crédito, pensando: "Deve estar nos adulando, pois estamos pagando caros 25 dólares de mensalidade".

Em 1974, com o falecimento de Richard Meola por enfarte, seu *dojo* foi fechado, de modo que Mike e seu irmão passaram a ir ao *dojo* do mestre Yonetsuka.

Na época, na Costa Leste dos EUA, muitos veteranos do departemento de judô da Nihon Daigaku tinham *dojos*. Uma vez por ano, esses veteranos faziam treinos de verão (*gashuku*) em conjunto. Nesses treinamentos, Mike foi rigidamente treinado e orientado por Otaka, amigo de Yonetsuka e também veterano do Nihon Daigaku, e no outono, no Campeonato Americano Juvenil, conquistou o campeonato e a confiança. No ano de 1976, conquistou o terceiro lugar no Campeonato

Americano Sênior, na categoria até 65 quilos, sendo escolhido para fazer parte da seleção nacional americana.

Por volta desta época, os pais de Mike, vendo os seus resultados positivos, tornaram-se fãs ardorosos do judô, e passaram a assistir os torneios em que ele participava.

Em 1977, venceu a seletiva para o Campeonato Mundial até 65 quilos, tornando-se o mais jovem membro da seleção, mas naquele ano, por problemas políticos, a equipe acabou por não participar.

Em 1978, nos Jogos Pan-Americanos de Buenos Aires, ficou em segundo lugar em sua categoria, uma boa estreia em torneios internacionais. E no mesmo ano também fez parte da equipe americana que participou da Copa Jigoro Kano. Apenas Mike conseguiu vencer a primeira luta, e foi só. Na sua categoria, até 65 quilos, a final foi disputada entre dois atletas japoneses, tendo Akimoto derrotado Sahara com um belo *tomoe-nague*, tornando-se o campeão. E na categoria livre, Yamashita derrotou o francês Rouge, tornando-se o campeão.

Participando deste torneio, Mike viu pela primeira vez o elevado nível do judô internacional, em especial o judô japonês, com seu enorme número de praticantes e elevado nível técnico; e então, decidiu ir ao Japão para aprender melhor a arte. Nessa época, no colegial, Mike praticava luta livre em estilo livre, tendo vencido no seu estado e ganhado uma bolsa de estudos.

O judô e a luta livre são esportes de luta e contato, e possuem muitos golpes em comum. A luta livre, por ser mais dura e ter muito mais contato físico, exige mais preparo físico e resistência. Os golpes no chão (*ne-waza*) são mais desenvolvidos na luta livre, e o Campeão da categoria livre da Olimpíada de Tóquio, Anton Geesink, segundo ouvi dizer, era também campeão de luta greco-romana europeu. Katsutoshi Naito, na Olimpíada pré-Segunda Guerra Mundial, em Paris, ficou em terceiro lugar. Ele treinou judô no Japão e, baseado nisso, foi estudar na Universidade da Pensilvânia, EUA, tornando-se famoso como capitão do departamento de luta livre. Mais tarde, migrou para o Brasil, tornando-se um dos pioneiros do judô no Brasil. Se Mike tivesse permanecido na luta livre, provavelmente teria se tornado Campeão Americano e participado com essa modalidade da Olimpíada.

Porém, Mike foi seduzido pelo fascínio do judô. Vendeu o carro que havia ganhado de seu pai e, com esse dinheiro, foi treinar no Japão. Como um amigo já estava naquele país, foi para lá, contando com a hospitalidade deste. No entanto, por algum desencontro, quando chegou em Narita, não havia ninguém à sua espera; e, sem entender a língua japonesa, ficou sem saber o que fazer. Então, resoluto, tomou um táxi e foi à Kodokan, onde conheceu o senhor Abe, responsável pelas relações internacionais do local, que o acolheu, começando, assim, seus treinos.

Mike, na época, mal tinha 70 quilos, e todos ali o arremessavam como se fosse uma bola.

Na minha época de estudante, quando íamos à Kodokan, sempre havia atletas estrangeiros. Nos intervalos dos treinos duros entre os titulares, pegávamos os estrangeiros e os fazíamos sofrer um bocado. Entre eles, estavam o inglês Care, o holandês Blooming, o canadense Rogers, e, entre os americanos, Nishioka, Paulo Maruyama e Breghman. Eram atletas grandes e foi divertido jogá-los ao chão. Mas, mesmo que no começo todos eles fossem derrubados com facilidade, à medida que treinavam, iam ficando melhores, e até nos devolviam as quedas. Era também a diferença da seriedade com que treinavam; nós, estudantes, na grande maioria, tínhamos como objetivo vencer nos torneios universitários, e nos bastava sermos os titulares de nossas universidades. Vivendo à custa dos pais, curtíamos nossa vida estudantil e o judô. Mas os atletas estrangeiros tinham objetivos maiores: tornarem-se especialistas profissionais, ou participar de Olimpíadas e Campeonatos Mundiais, e era para isso que vinham à Kodokan, literalmente suando sangue. Um adulto esforçando-se para estudar e treinar com afinco; e se por um ou dois anos, tendo esse objetivo e dando muito duro, como davam, ficavam tão bons que não haveria páreo para eles. Os maiores, quanto mais eram derrubados, mais aprendiam, e seus pontos fracos iam sumindo, de modo que não dava mais para enfrentá-los com alguns truques.

Mesmo Anton Geesink passou por tudo isso: no começo, todos o derrubavam, mas passado pouco tempo, logo aprendeu os truques, e em seguida, levava vantagem com o porte físico. Creio que com Mike também foi assim. Na revista *Kindai Judô* (Judô Contemporâneo), lembro-me de um texto que contava isso.

Quando Mike foi ao *dojo* da polícia treinar, como ele era muito fraco, todos tomavam cuidado com ele para que não se machucasse, tratando-o como uma visita. Passado um mês, começaram a treiná-lo a sério, fazendo-o realmente sofrer. Tanto foi jogado ao chão, que acharam que não mais viria aos treinos, mas aí reapareceu, com ataduras por todo o corpo. E passado meio ano, já não era mais jogado; com um ano, os outros é que passaram a ser arremessados ao chão.

Quando me encontrei com ele pela primeira vez, cumprimentou-me dizendo: "Sou Mike Swain, dos Estados Unidos, discípulo do Sensei Yonetsuka". O mestre da Kodokan de quem ele mais se lembra, e que o ensinou bem, era Yoshimi Hara. Ele dizia que o *kouchi-gari* de Hara era esplêndido. Quando fraturou o dedo, o doutor Yoshida, do Hospital Ortopédico Yoshida, cuidou dele, e lhe apresentou o Departamento de Judô da Universidade Nihon Daigaku e o *dojo* da Polícia. De manhã ele ia ao *dojo* da Polícia; à tarde, ao Nihon Daigaku, e à noite, à Kodokan. Isso durou duas semanas, pois treinar em três períodos era muito pesado, de modo que se limitou aos treinos da manhã e da tarde. Por ter sido discípulo do mestre Yonetsuka, o mestre Tadao Kimura, da polícia, cuidou muito bem dele e, por isso, tem muita gratidão por ele ainda hoje.

O departamento de judô da Nihon Daigaku da época tinha entre seus titulares atletas grandes, como Kinjiro Mototani, Kimio Hoshi, Yoshihiro Nakamura, Kazuhiko Kuroda, um grupo formidável, e o *taiotoshi* e o *seoi-nague* de Mike não eram páreo para eles. Desse modo, sentiu a necessidade de aprender golpes de pernas, treinando incessantemente *kouchi-gari*, *ouchi-gari*, *okuri-ashi-barai*, *kosoto-gari* e *de-ashi-barai*.

O mestre Yoshida o levou para participar dos torneios mensais da Kodokan, e dos torneios por equipes (*kohakujiai*), e também a competições entre universidades, de modo que se tornou muito experiente. E o técnico de Nihon Daigaku, Chonosuke Takagi, sem se incomodar com o fato de Mike ser americano, tratou-o como se fosse um dos alunos da Universidade, orientando-o muito bem. Quando se treina todos os dias, vendo os mesmos rostos sempre, surgem naturalmente a familiaridade e a amizade, de modo que, quando, quatro meses depois, estava para voltar aos EUA, a despedida foi difícil.

Em 1980, Mike venceu a seletiva americana para a Olimpíada de Moscou, mas por motivos políticos, os EUA boicotaram a participação nessa Olimpíada, de modo que ele não pode concretizar sua participação olímpica. Porém, aos 19 anos, pôde focar seus sonhos na próxima Olimpíada.

De 1980 a 1984, a equipe nacional americana foi todos os anos para treinar no Japão. Os treinos eram realizados na Nihon Taiiku Daigaku (Faculdade de Educação Física do Japão), Tokai Daigaku (Universidade Tokai) e Budo Daigaku (Universidade das Artes Marciais), mas quando Mike ia sozinho para treinar, ele ia à Nihon Daigaku, que havia se tornado uma segunda pátria para ele. Até então, treinava no *dojo* do mestre Yonetsuka, na Costa Leste, onde moravam seus pais, mas depois que voltou aos EUA, foi convidado pela Universidade Estadual da Califórnia em San Jose. Quem chefiava a Universidade de San Jose era o *nissei* Yoshihiro Uchida, que foi o técnico da primeira equipe olímpica americana de judô, na Olimpíada de Tóquio. Seu objetivo era que a universidade fosse um local em que ambos os caminhos, o da competição esportiva e o do conhecimento, andassem juntos. Após ter entrado na faculdade, Mike elevou seu peso para a categoria de 71quilos, e passou a treinar com mais afinco *ne-waza* e *ashi-waza* (golpes no chão e golpes de pernas).

Na Universidade de San Jose, todos os anos o veterano da Universidade Keiou, o mestre Ando, era convidado para fazer treinos intensivos de um mês. Como resultado, em 1982, pôde participar de vários torneios internacionais. Mike, competindo no circuito europeu, no torneiro da Alemanha, conseguiu o terceiro lugar, e nos torneios da Bélgica e da Holanda, foi o campeão. A partir dessa época, ele passou a sentir o gosto da vitória e, segundo ele mesmo conta, começou a entender e apreciar melhor o judô.

Em 1983, participou do 13º Mundial de Judô, realizado em Moscou. Na terceira luta, foi derrotado pelo francês Merilo. No ano seguinte, nas Olimpíadas de Los Angeles, havia muita expectativa na sua participação, por ser o "atleta da casa", mas na terceira luta foi derrotado por Luís Onmura, tendo de engolir as lágrimas da derrota. A equipe brasileira dessa Olimpíada havia concentrado e treinado em meu *dojo*, e fiquei como técnico da seleção. Meu discípulo, Walter Carmona, conquistou o bronze no peso-médio, e no meio-pesado, Douglas Vieira, que havia substituído Aurélio Miguel, foi avançando sob nossos olhares surpresos, chegando à final contra o coreano Ha. Após uma luta de muito contato, foi derrotado, mas conquistou a medalha de prata. E ainda por cima, Luís Onmura conquistou o bronze na categoria de 71 quilos. Com esse resultado, o judô brasileiro finalmente conseguiu o aval mundial, e passou a ser marcado como um adversário a se levar em conta.

Mike levou um grande choque com a derrota na Olimpíada de Los Angeles, e decidiu que iria recomeçar seus treinos reavaliando tudo que havia feito até então. Já era a época da formatura na universidade e, estabelecendo como próximo objetivo o Mundial, decidiu que iria treinar de novo no Japão. Atletas comuns, após terem sido frustrados em duas Olimpíadas, provavelmente abandonariam o judô. Os quatro anos até a Olimpíada de Seul foram longos. Nesse ínterim, Mike repensou tudo que havia feito nos treinos. Apenas com a vontade de se tornar mais forte, obedecia cegamente seus técnicos, fazendo tudo que lhe diziam, e o resultado foi a derrota em Los Angeles. Daí pra frente, iria estabelecer seus próprios alvos, e não depender apenas dos técnicos, mas fazer por si mesmo a concretização dos mesmos. Nessa época, estava com 25 anos.

No 14º Mundial, realizado em Seul, Coréia do Sul, em setembro de 1985, Mike enfrentou atletas formidáveis na categoria 71 quilos. Sua segunda luta foi contra o neozelandês Moody, derrotando-o com um esplêndido *taiotoshi*, vitória por *ippon*. A terceira luta, bem mais difícil, foi contra o francês Dio, e na semifinal, enfrentou o polonês Wieslaw Blach, e venceu novamente com um *ippon* de *taiotoshi*. A luta final foi contra o herói local, o coreano Ahn Byeong Keun, medalha de ouro na Olimpíada de Los Angeles. Uma luta que estava em um *kumite* bastante intenso, os juízes aplicaram *shidô* aos dois contendores. Aí, aconteceu uma mudança: Mike foi dar seu *osoto-gari* de esquerda, que foi habilmente evitado e contragolpeado por Ahn, com um *seoi-nague*. Mike, por ser mais alto, não teve como evitar o golpe, e perdeu um *waza-ari*. A torcida local ficou extasiada. Mike tentou seus *ouch-gari* e *osoto-gari*, numa sucessão de golpes de pernas, e Ahn, que apenas se defendia, recebeu um *shidô*. Mas Ahn, veterano, conseguiu administrar bem a luta, defendendo-se até o tempo acabar, e conquistou a vitória. Nesta competição, o japonês Takahiro Nishida também foi derrotado por Ahn, imobilizado com *kami-shiho-gatame*. Mas Mike sentiu, nesta competição, que estava no caminho certo.

Em 1986, na 2ª Copa Jigoro Kano, Mike venceu pela primeira vez atletas japoneses. Venceu Nakanishi e, na semifinal, Tobisaki, e caminhou confiante à final. Seu adversário na final era Toshihiko Koga. Koga, extremamente veloz e técnico, envolveu totalmente Mike, que foi derrotado com *seoi-nague*. Este se tornou o maior rival de Mike, e seu primeiro encontro com aquele que era apelidado de "Sanshiro da era Heisei[4]".

Koga havia nascido em 1967, era sete anos mais novo que Mike. Saiu de sua terra natal, Saga, e foi para a Kodokan de Tóquio, onde recebeu treinamento e estudo. Quando era aluno do terceiro ano do colegial do Colégio Setagaya, derrotou o campeão da época dos 71 quilos, Hidetoshi Nakanishi, e imediatamente recebeu atenção. Na Copa Shoriki de 1987, Mike foi derrotado novamente por Koga na final. Esta terceira medalha de prata o encheu de ira contra sua própria falta de energia, e isso acabou se tornando uma vontade de desforra. Jurou a si mesmo vencer uma revanche contra Koga, raspou sua cabeça, e foi ao Centro de Treinamento da Nihon Daigaku. Geralmente, quando se perde duas vezes com *ippon* de alguém, o lutador passa a temer esse alguém, e vai continuar a perder, por causa desse medo. Mas Mike retomou seus treinos na Nihon Daigaku e, no fim, foi, com a apresentação de seu amigo Van de Walle, medalha de ouro em Moscou, a Kendall, na Inglaterra, onde foi treinar com o técnico Anthony Maclaughan, antigo treinador do campeão mundial Neil Adams. Kendall fica numa região de lagos, com estradas de montanhas íngremes. Recordando-se da ima-

---

[4] Sanshiro Sugata foi um lendário lutador dos primórdios do judô. (N.T.)

gem de Koga gravada em sua mente, concentrou-se nos treinamentos de subidas nessas estradas. Esse treino era muito duro, tanto físico como emocionalmente, mas deu considerável reforço ao judô de Mike. Van de Walle era um amigo com quem conviveu na Universidade Tokai e pela Europa, e dele incorporou treinos com pesos e condicionamento. O brasileiro Aurélio Miguel também é amigo de Van de Walle, e quando ia à Europa em competições, sempre passava na sua casa na volta, treinando um pouco.

O ano de 1987 foi o da desforra para Mike. No Pan-Americano realizado em Indianapolis, devolveu a derrota ao brasileiro Luis Onmura, que o havia vencido na Olimpíada de Los Angeles. No 15º Mundial, realizado em Essen, Alemanha Ocidental, enfrentou Toshihiko Koga, que o havia derrotado em duas finais, na quarta luta, conseguindo um *kooka* com *ouchi-gari*. Na semifinal, derrotou Li Chang Su da Coreia com um *taiotoshi* de encher os olhos, chegando à final. Com uma luta de muito contato com o francês Marc Alexandre, conseguiu o título mundial sonhado por anos. O terceiro lugar ficou com o japonês Koga e o inglês Brown.

1988 era o ano da Olimpíada de Seul. Mike, que havia conquistado o vice-campeonato e o campeonato mundial, tornou-se a estrela do judô americano, candidato número um à medalha de ouro. Nessa época, tendo se formado na Universidade de San Jose, no Departamento de Marketing, atendendo à filosofia do reitor Uchida, de levar bem a cabo tanto o esporte como o conhecimento, foi trabalhar numa empresa de computadores chamada Chips, no Vale do Silício. Trabalhando oito horas diárias no escritório, à noite ia treinar duramente no departamento de judô da Universidade San Jose. O dono da empresa considerava muito Mike, sendo compreensivo com as necessidades da Olimpíada, e ainda, de vez em quando, levando-o a momentos de lazer em seu iate, ou na sua fazenda. Naquele ano, como membro da equipe americana de judô, foi ao Japão para treinar. Certo dia, quando estava na Academia da Polícia, veio uma equipe de TV americana fazer uma reportagem com a equipe que treinava ali, e pediram uma entrevista a Mike. Vendo Mike iluminado pelos refletores e atendendo aos repórteres, os atletas japoneses pensaram tratar-se de um astro milionário.

O judô nos EUA é um esporte menor e não há patrocinadores; apenas alguma ajuda em anos de Olimpíada, e mesmo que tenha se tornado Campeão Mundial, Mike tinha de trabalhar normalmente.

Na Olimpíada de Seul, Mike e o japonês Koga eram os candidatos à medalha de ouro, de modo que passaram a receber atenção, mas também muita pressão. Oito anos após muitos problemas causados pela política, em que Moscou e Los Angeles tiveram impasses de participação, finalmente, em Seul, era o momento de definir quem era o verdadeiro campeão, o rei do tatami, no Ginásio Changchung, entre os dias 25 de setembro a 2 de outubro de 1988. Mike participou na categoria 71 quilos, cuja competição se deu no terceiro dia.

A diferença entre um Torneio Mundial e uma Olimpíada não está apenas na pressão sobre os atletas. No Mundial de Essen, a equipe japonesa conquistou quatro medalhas de ouro; mas em Seul, foi apenas uma, de Hitoshi Saito. O judô japonês sofreu uma derrota fragorosa. E, entre os campeões das sete categorias em Essen, apenas um foi medalha de ouro, o coreano Kim Jae Yup, da categoria de 60 quilos. Com as filmagens em vídeo se desenvolvendo mais, todos os campeões eram exaustivamente estudados em todos os seus movimentos, de modo que a grande maioria não venceu na Olimpíada.

Mike enfrentou o queniano Ombito na segunda rodada; na terceira, venceu o canadense Beauchamps, e na quarta de final, o alemão oriental Sven Loll. Mike estava vencendo a luta, mas nos últimos dez segundos, o alemão conseguiu um *yuko* e Mike perdeu de virada. Na repescagem, venceu o alemão ocidental Strantz, mas na decisão do terceiro lugar, perdeu do inglês Brown. Assim terminou a Olimpíada de Seul para Mike. O vencedor da categoria foi o francês Marc Alexandre, que havia sido vencido por Mike em Essen. O astro japonês Koga teve sua gola agarrada pelo russo Georgi Tenadze, perdendo dois pontos sem nada poder fazer. Brown, que havia vencido Mike, perdeu a medalha por *doping*, de modo que Mike acabou recebendo a medalha de bronze, mas ele não estava satisfeito.

Após a Olimpíada de Seul, Mike trabalhou apenas na empresa de computadores; seu patrão, satisfeito, decidiu enviá-lo à filial da Flórida. Mas na Flórida ele não poderia treinar judô, então tomou a decisão de deixar o emprego e tornar-se independente. Por ter participado de tantos torneios durante anos no exterior, conseguiu os direitos de vender tatamis feitos na Bélgica, então voltou a San Jose e, numa dependência de seu próprio apartamento, abriu a Swain Sports. Mais tarde, passou também a comercializar uma famosa marca de *judoguis*, Kusakura, da tecelagem Hayakawa. Os treinos foram continuados na Universidade de San Jose, e ele ainda estava na plena forma que havia adquirido nos treinos duros para a Olimpíada de Seul. Havia também a frustração de ter perdido na Olimpíada. Nas seletivas americanas de 1989, ele venceu facilmente, e decidiu participar do 16º Mundial que se realizaria em Belgrado, na Iugoslávia. Voltou à Nihon Daigaku para treinar novamente, e se preparar.

No Mundial de Belgrado, ele pôde participar com as melhores condições, sem pressão. A primeira luta de Mike foi contra o sueco Hagkwist, de *ippon*. A segunda luta foi contra o *nikkei* canadense Hatashita, também uma luta fácil. O terceiro adversário, o húngaro Haitoz, deu mais trabalho, mas conseguiu vencer por pontos. Nas quartas de final enfrentou o turco Aan, uma luta difícil, mas venceu. Na semifinal, enfrentou o russo Georgi Tenadze. Eu recebi o vídeo dessa luta e assisti, e realmente foi uma bela luta. Conseguiu repelir os ataques contínuos do russo que visavam agarrar sua gola e levantá-lo, e num golpe de tudo ou nada, com um *osoto-otoshi*, conseguiu um *yukou*, vencendo a luta. A final contra Koga também foi muito dura; Mike atacava continuamente, mas numa fração de segundo, Koga conseguiu um *ippon-seoi* no menor instante de descuido, caindo de cabeça, tirando-lhe um *koka* e fazendo-o engolir lágrimas de frustração. No entanto, no pódio, Mike parecia mais satisfeito e realizado que Koga, que o havia vencido.

Dessa forma, Mike, nos mundiais de 1985, 1987 e 1989, em três torneios seguidos, conquistou prata, ouro e prata, um feito fabuloso. Decidido a retirar-se das competições após o Goodwill Games que seria realizado em 1990, em Seattle, passou a treinar com esse objetivo. Mas nesta competição, na final, perdeu de *ippon* para o japonês Furutaka. Minha filha mais velha, Tânia Chie, também foi participar, e também ficou com a prata. Ela me mandou então a foto dos dois juntos, com a mesma conquista. E em 1991, Mike se casou com a *nissei* brasileira Tânia Chie Ishii.

São muitas as histórias de como se conheceram e começaram a se relacionar, por isso não quero me alongar no assunto, mas o que eu mesmo senti é que Mike, através das muitas e longas temporadas que passou no Japão, deve ter se encantado com as mulheres japonesas e com a cultura japonesa, pois visitou cidades históricas, como Kyoto, Nara e Kamakura. Além disso, deve ter pesquisado sobre meu próprio histórico, pois conhecia muito bem minha história. Após o Goodwill Games, afastou-se das competições, concentrando-se em seu trabalho e na família que estava formando. A maioria dos fãs americanos achou que ele havia se aposentado. Mas então a Federação Americana de Judô, com a promessa de dar um salário mensal a Mike, pediu que fizesse parte da equipe que iria à Olimpíada de Barcelona, em 1992. Para Mike, que não subira de verdade ao pódio, havia um sentimento de insatisfação em se retirar sem ter vencido, de modo que resolveu tentar uma última vez na Olimpíada de Barcelona. E recomeçou os duros treinos.

O objetivo para o ano de 1991 era a vitória no Aberto dos EUA, que ainda não havia vencido. Juntou-se ao jovem Jimmy Pedro (categoria 65 quilos), e foi ao Japão mais uma vez para treinar, na Nihon Daigaku. Desta vez, já não conseguia mais treinar na Academia da Polícia e na Nihon Daigaku em dois períodos, como antes, pois a idade já estava pesando. Mas Jimmy Pedro, bem mais jovem, pôde fazer essa agenda de treinos, tornando-se um atleta cada vez mais forte. Em outubro, Mike conquistou o objetivo proposto, vencendo no Aberto dos EUA e nas seletivas americanas para as Olimpíadas, e em janeiro de 1992, tanto ele como Jimmy Pedro conseguiram se classificar para a equipe olímpica. Mas quando foi ao circuito europeu, quebrou uma costela, o que descontrolou totalmente sua agenda de treinos. E o ferimento demorava a sarar, de modo que ele se tornou irritadiço. Voltou à Nihon Daigaku para treinar, mas por causa do machucado, não podia fazer muito mais do que treinar *uchi-komi*. Os atletas japoneses, mesmo que se machucassem, treinavam para dominar a lesão. Nas universidades e na Kodokan, os atletas se esforçavam para golpear o adversário, isto é, o objetivo era conseguir vitórias por *ippon*, mas o estilo do judô europeu era a aplicação de força para conseguir pontos, o que era útil para técnicas de competição e condicionamento de treinos, porém o judô de força não era algo de que Mike gostava.

E Mike, sem ter conseguido curar-se totalmente da fratura, vai a Barcelona, onde, no primeiro confronto, acontece um fato que acaba por tirar-lhe a concentração: o *judogui* que já havia sido aprovado para a luta é reprovado pelo juiz, que o faz trocar de vestimenta e, sem conseguir se concentrar devidamente, enfrenta Park, da Coreia do Norte, que o imobiliza com *gyaku-juji-gatame*, após começar a luta com *ne-waza*, obrigando-o a dizer "*maitta*" (eu me rendo). Seu maior rival, Koga, também estava com uma lesão, no joelho, mas lutou as cinco lutas, duas vencidas com *ippon*, uma com waza-ari, e as outras duas, com uma pequena margem de pontos, mas conquistou a medalha de ouro. Minha filha mais velha, Tânia Chie, também participou como representante do Brasil, na categoria 61 quilos, mas na primeira luta foi dominada pela atleta da China, e perdeu. Fui assistir às competições, mas não soube o que dizer para os dois.

A medalha de ouro olímpica é um prêmio concedido ao atleta que, em seu esporte, mais lutou, sofreu, derramando lágrimas e suor – foi o que escrevi em uma longa carta à minha filha mais nova, Yukie, que estava no Japão trabalhando e treinando na empresa Komatsu, com o objetivo de lutar na Olimpíada de Atlanta. Koga também lutou bravamente, apesar da lesão no joelho e sem poder usar seus golpes preferidos (*seoi-nague*), acumulando pontos com *tomoe-nague* e *kouchi-mata*. Concentrou-se até o fim e derrotou o húngaro Bertalan Hajtós, conquistando a tão desejada medalha de ouro.

Mike enfrentou por dezoito anos a dura rotina de treinos de um atleta ativo, desgastando-se física e emocionalmente, e finalmente se retirou das competições. Na Olimpíada de Atlanta, ele foi o técnico da equipe americana de judô, onde Jimmy Pedro derrotou Sebastian Pereira (campeão juvenil mundial) do Brasil, conquistando o bronze. Em 1999, no 21º Mundial realizado em Birminghan, na Inglaterra, Jimmy Pedro mudou da categoria 71 quilos para a categoria 73 quilos, derrotou o russo Makarov e conquistou a segunda medalha de ouro masculina em mundiais; comemorou abraçado com Mike, os dois chorando de alegria. Esta é a herança de Mike para o judô.

Atualmente, Mike mantém sua empresa Swain Sports, onde comercializa *judoguis*, tatamis e outros artigos para artes marciais. E também, para popularizar o judô nos EUA, junto com Jimmy Pedro, tem procurado mostrar competições de judô através do Canal Nacional de Esportes, como uma propaganda do esporte, além de vender livros e vídeos.

Em 1999, coordenou um evento de lutas em um cassino de Donald Trump, o Taj Mahal, em Atlantic City. Nomeou o espetáculo de "Noite dos Gigantes", e conseguiu reunir lutadores amadores de sumô do mundo inteiro. Eu também fui convidado a participar, levei grandes lutadores, e me diverti nos cassinos de Atlantic City por uma semana.

Mike e Chie têm dois filhos, Sophia Mitiyo, nascida em 1994, e Mike Masato, nascido em 1996. Sempre vêm ao Brasil; em 1999, vieram com toda a família para o casamento da minha segunda filha Mie, visita da qual temos boas lembranças.

Minha filha caçula, Vânia Yukie, infelizmente não pôde participar da Olimpíada de Atlanta em 1996, por estar machucada. Ela gosta muito do cunhado, e escuta tudo o que ele diz. Em 1999, nos Jogos Pan-Americanos em Winnipeg, Canadá, quando conquistou o ouro, a primeira pessoa a quem ligou para contar a conquista foi Mike. Minha vida na terceira idade parece que será bem movimentada entre São Paulo, San Jose e Japão.

Aqui, quero acrescentar uma reportagem feita por Atsushi Harasawa, do jornal *Yomiuri*, que conta da participação de Mike e Tânia Chie na Olimpíada de Barcelona, em 29 de julho de 1992.

Judô Oshidori atravessando fronteiras

Dentro das competições com lutas acirradas do judô, há um casal de atletas que está participando desta Olimpíada, desafiando os competidores do mundo. A esposa é uma *nissei* brasileira, Tânia Chie Ishii, 23 anos, categoria 61 quilos feminino, e o marido, um americano que tem treinado no Japão, Mike Swain, 31 anos, categoria 71 quilos masculino. Ishii faz parte da equipe brasileira, e Swain, da equipe americana, e irão participar, ela no dia 30, e ele no dia 31, das competições de judô. Os dois têm fortes ligações com o Japão, e esperam que possam ter um desempenho que desafie o judô japonês. Swain é campeão Pan-Americano e do Mundial de Essen de 1987, medalha de bronze em Seul, e veterano da categoria leve do judô americano. Tem ainda a experiência de ter sido bolsista de judô no Japão por dois anos. Ishii tem a experiência de ter derrotado a também participante desta Olimpíada, a atleta japonesa Takako Kobayashi no Mundial da Alemanha, realizado em fevereiro deste ano. Seu pai, Chiaki Ishii, 50 anos, também ex-atleta olímpico, é oriundo da província de Tochigi, Ashikaga, e em 1964, migrou para o Brasil, país pelo qual conquistou a medalha de bronze na Olimpíada de Munique.

Os dois se conheceram em competições de judô. Swain, apaixonado, foi até a cidade de São Paulo, onde a família Ishii morava, e conseguiu convencer o senhor Chiaki, falando em japonês, a dar-lhes a permissão de se casarem, o que aconteceu em abril do ano passado. O senhor Chiaki sempre dizia que só deixaria sua filha casar-se com um japonês. Mesmo após o casamento, a vida de competições e torneios dos dois continuou, e como eles mantêm suas nacionalidades, são um casal que participam de competições por países diferentes, *oshidori daihyou*[5].

---

[5] *Oshidori* é o nome do marreco mandarim, considerado pelos japoneses como a imagem do casal perfeito. (N.T.)

Swain deu entrada na Vila Olímpica no dia 22, e Ishii, no dia 23. Como, por causa dos inúmeros torneios internacionais de que participam, estão separados praticamente metade do ano, a Olimpíada é uma oportunidade única de estarem juntos e, quando não estão treinando, tomam suas refeições juntos, ou saem para passear.

AVANTE, MINHAS FILHAS!
(GAMBARÊ, MUSUMETATIYO)

A reportagem a seguir foi feita em 30 de dezembro de 1991 pela repórter Takemasa Takagawa da revista *Nikkan Sports* enquanto minha terceira filha, Vânia Yukie, estava se esforçando nos treinos de judô.

Senhorita Yukie volta à terra após nove anos

A representante brasileira do Torneio Internacional Feminino de Judô de Fukuoka, Vânia Yukie Ishii, voltou à terra natal de seus pais, na cidade de Ashikaga, após nove anos. Desde o dia 4 deste mês, Ishii está como bolsista de judô no departamento de Judô da Komatsu. Seu pai, Chiaki Ishii, 49 anos, residente no Brasil, é oriundo de Ashikaga, e medalha de bronze na Olimpíada de Munique. Desta vez, também veio prestar reverência ao túmulo da avó, Chiyo Hayakawa, falecida em abril deste ano.

Avô também é diretor de *dojo*

Ishii cumprimentou com um abraço seu tio Kiyoshi que a fora encontrar, um cumprimento normal no Brasil. "Fiquei espantado em ver como ela cresceu", foram as palavras do senhor Kiyoshi, na alegria do reencontro após noves anos sem a sobrinha. O avô, Yuukichi Ishii, 84 anos, diretor do *dojo* da Prefeitura de Ashikaga, também diz: "Entre as três irmãs, sempre ela era a mais animada".

O seu pai, Chiaki Ishii (ex-aluno do Colégio Ashikaga e formado pela Universidade Waseda), após formar-se na faculdade, migrou para o Brasil. Em 1971, por ocasião do Mundial de Judô, naturalizou-se brasileiro. E, no ano seguinte, na Olimpíada de Munique, conquistou a medalha de bronze. Atualmente, tem um *dojo* e uma propriedade rural na cidade de São Paulo. Ishii nasceu como a terceira filha de Chiaki, em São Paulo. Pratica judô desde os 4 anos de idade, e atualmente é 1º dan. É também campeã universitária do Brasil. Está no primeiro ano de educação física da USP, mas trancou a matrícula e veio para a Komatsu do Japão em novembro. No torneio internacional de Fukuoka, realizado nos últimos dias 7 e 8, participou como representante do Brasil na categoria 66 quilos. Com um esplêndido *osoto-gari* aprendido de seu pai, venceu a primeira luta. "Meu golpe preferido é *osoto-gari*. Mas não me dou bem com *ne-waza*", diz. O técnico Osamu Hamada, da Komatsu, também assina em baixo: "Os *tachi-waza* dela são impecáveis".

A equipe de judô da Komatsu, que foi formada na primavera deste ano, tem atualmente oito membros. Tem em sua equipe duas atletas chinesas, duas soviéticas, e entre as equipes de empresas, é a única que mantém estrangeiros em seu elenco. Por ser extrovertida, Ishii logo se tornou muito popular dentro da equipe. "Acho muito mais divertido quando estou conversando com todos". Gosta de dançar; após o torneio de Fukuoka, foi com atletas americanas e italianas para uma discoteca. "Japonesas são muito tímidas. Brasileiras são mais extrovertidas", diz, com uma expressão alegre.

Ficar forte no Japão

Ela tem três atletas que usa como modelo para se inspirar: Chie, Mike e seu pai. A irmã mais velha, Chie (Tânia Chie Ishii, 23 anos), participou dois anos seguidos do Torneio Internacional de Fukuoka, e venceu as seletivas brasileiras para a Olimpíada de Barcelona. E o marido de Chie, Mike Swain (31 anos, EUA), foi campeão no Mundial de Essen, categoria 71 quilos. Realmente, uma família de judocas.

Ela escreve quase que diariamente para seus familiares e amigos de São Paulo. "Claro que sinto saudades, mas não tenho tempo para ficar chorando. Quero ficar forte no judô, é para isso que vim ao Japão", diz, ainda com certa dificuldade na língua, mas de modo claro.

A partir do começo do ano que vem ela irá estudar a língua japonesa mais a sério, e a partir de abril, começará a trabalhar também. "Quero aprender muitas coisas", diz, com bastante vontade. E seu objetivo máximo é a Olimpíada de Atlanta, em 1996. "Nessa ocasião, quero voltar como representante do Brasil", diz, com os olhos brilhando.

Artigos em jornais Nipo-brasileiros

VÂNIA ISHII CLASSIFICA-SE EM TERCEIRO LUGAR NO TORNEIO INTERNACIONAL DE FUKUOKA E ESTÁ DENTRO DAS CONDIÇÕES PARA SE CLASSIFICAR PARA A OLIMPÍADA

Dezembro de 1992, jornal *Nikkei* – Vânia Ishii classificou-se em terceiro lugar no 17º Torneio Internacional de Fukuoka, realizado nos dias 11 e 12 deste mês, na categoria sub 63 quilos. Vânia informou do seu feito ao seu pai, Chiaki Ishii, por telefone.

Vânia teve seis confrontos, perdendo o da China e ficando com o terceiro lugar. Desta feita, também derrotou a atleta Celina, que a havia vencido no Pan-Americano, conseguindo uma revanche (No final das contas, Vânia ficou com o título do Pan-Americano). O senhor Chiaki Ishii, referindo-se à conquista da filha, disse: "No Primeiro Torneio de Fukuoka, minha filha mais velha, Tânia, participou quando tinha 14 anos, e perdeu nas quartas de final. Vânia, no 15º Torneio de Fukuoka, na categoria sub 66 quilos, ficou em quinto lugar. Desta vez, conseguiu a classificação. Fico muito grato pela ajuda proporcionada pela Yakult e pela Komatsu, que possibilitaram sua participação".

O Torneio de Fukuoka equivale a uma Olimpíada, valendo também para a classificação para a próxima Olimpíada.

Na categoria até 63 quilos, a campeã foi Nami Kimoto, do Japão, e a vice, Oh Ken Ha da China.

A JUDOCA VÂNIA ISHII CONQUISTA O BRONZE NO TORNEIO INTERNACIONAL DE JUDÔ FEMININO DE FUKUOKA

Dezembro de 1992, jornal *São Paulo-Shimbun* – O Torneio Internacional de Judô Feminino de Fukuoka foi realizado nos dias 11 e 12 no Centro Esportivo de Fukuoka no qual participaram 120 atletas de 24 países e locais, incluindo sete campeãs de Torneios Mundiais nas oito categorias, em lutas muito disputadas.

Do Brasil foi apenas uma participante, Vânia Yukie Ishii, que competiu no primeiro dia, na categoria 63 quilos, e saindo da repescagem, conquistou a medalha de bronze.

Durante a competição, Vânia foi vencida pela atleta da China e passou à repescagem, mas derrotou a campeã mundial, uma americana, e uma francesa muito forte, conseguindo, assim, o terceiro lugar.

O senhor Chiaki Ishii, que recebeu o telefonema diretamente da sua filha, disse, muito alegre: "Minha filha Vânia participou deste torneio, e ter conseguido um resultado positivo assim me deixa muito feliz. Este resultado certamente irá se refletir nas Olimpíadas de Sidney".

Avante, minhas filhas!

Animado com as conquistas de minhas filhas, com o coração pulando de alegria, escrevi o texto seguinte, recordando quando elas nasceram, e recebi um prêmio inesperado, o Grande Prêmio de Ensaios do jornal *São Paulo-Shimbun*.

Ensaio: "Avante, minhas filhas!" (*Gambare, musumetachiyo*)

"Faltam oito segundos"; "faltam cinco segundos", e nesse momento, o juiz declara: *Matê* (espere). As duas arrumam seus *judoguis*. *Hajime* (começar), e há o recomeço. A adversária Luciana avança como uma fera. Vânia Yukie abafa o ataque. E soa a campainha do final da luta. Com *koka*, Vânia Yukie lidera a contagem de pontos. O juiz levanta o braço de Vânia Yukie. Ela se curva no cumprimento, e corre como louca para me abraçar, chorando. "Yuuchan, que bom. Você se esforçou muito. Parabéns!" "Papai, muito obrigada!".

O local era o Ginásio Poliesportivo do Ibirapuera. A cena, a última seletiva brasileira para o 20º Campeonato Mundial a ser realizado em outubro de 1997, em Paris. Em janeiro de 1997, havia sido realizada a primeira prévia no Rio de Janeiro, na qual foram selecionados seis atletas em cada categoria. E no dia de ontem, havia sido realizada uma preliminar, dividindo-se cada categoria em grupos de três, que competiram umas contra as outras, em um torneio do tipo mata-mata, o que exigia que se vencessem as lutas seguidamente. E a vencedora, na final de hoje, teria de ter vencido pelo menos três de cinco confrontos para ser selecionada.

E este foi o momento em que minha filha caçula conquistou essa glória. Recordando, na última seletiva para a Olimpíada de Atlanta, em 1996, que foi realizada no Rio de Janeiro, ela participou sem estar em condições para lutar. Em torneios no circuito europeu, havia lesionado o ligamento cruzado posterior do joelho, e, mesmo assim, tentou participar, com o joelho totalmente enfaixado, mas foi derrotada. Voltou para casa de muletas. E logo foi submetida a uma cirurgia. Felizmente, a cirurgia foi bem-sucedida, e depois de três meses, pôde levantar-se da cama e começou a reabilitação, aos poucos. E um ano depois, o resultado foi essa seletiva de hoje.

Quanto minha filha se alegrou? Após a cirurgia, de tanta dor, chegou a pensar que jamais andaria de novo. Disse, então, à minha filha que gemia no leito: "Yuu, não existe ferimento que não sare. O papai aqui também teve ferimentos pelo corpo todo, e como você vê, ainda pratico judô. Não se preocupe, vamos em frente..." Com palavras assim, vim animando minha filha, e assim chegamos ao dia de hoje.

Já faz trinta anos que venho ensinando judô aqui em São Paulo. Quatro anos após ter vindo ao Brasil, pedi a mão da irmã mais nova de um amigo muito próximo lá na terra natal, e ela veio como "noiva-migrante", e casei-me com ela em São Paulo. Tivemos a primeira filha. Juntando o "*chi*" do meu nome com o primeiro ideograma do nome de minha esposa Keiko, "*kei*" (pode-se ler "*e*"), dei-lhe o nome de Chie. Dois anos depois, nasceu nossa segunda filha, e dei-lhe o nome de Mie[1] Na terceira gravidez, certo de que seria um menino, tinha escolhido o nome "Masato" ("Homem da verdade"). Mas a terceira criança também era uma menina. Quando cheguei ao hospital para visitá-la, minha esposa, abaixando os olhos, disse: "Desculpe-me, é outra menina. Mas é uma ótima menina, por favor, vá vê-la". Fui ao berçário onde estavam os bebês, e vi a minha filha. Mas sua boca estava estranhamente vermelha. Parecia que estava vomitando sangue. Chamei a enfermeira: "Por favor, minha filhinha está estranha. Venha vê-la!" "Deixe-me ver. Ah, está vomitando sangue. Precisamos fazer logo uma transfusão." "Se puder, use o meu sangue. É tipo O, e como sou o pai, deve dar certo". "Não se apavore. Vamos agir rapidamente." E assim, retiraram 500 cc do meu braço e o deram à criança. Como descobrimos o problema logo, minha filha caçula Yukie sobreviveu. Peguei o primeiro ideograma do nome do pai

---

[1] *Chi* significa "mil", *kei* significa "graça, favor", *mi* é o ideograma que significa "beleza", então Chie seria algo como "Mil Graças", e *Mi*, "Bela Graça". (N.T.)

da minha esposa, Koushirou, "*kou*" (felicidade – o que dá "Graça feliz"). Minha terceira filha era a mais espevitada entre as três, teve bronquite, e deu bastante trabalho para sua mãe.

Estava, nessa época, no período mais atarefado de minha vida, e era solicitado a dar aulas de judô até aos sábados e domingos, em muitas academias em vários lugares; dar treinamento a crianças ou a ser juiz em torneios, de modo que quase não estava em casa. Na hora em que chegava em casa, minhas filhas já estavam dormindo. Quando acordava de manhã, elas já tinham ido para a escola ou jardim de infância, e não tinha oportunidade de vê-las realmente. De vez em quando, voltava um tanto bêbado para casa, e quando tentava entrar no quarto delas para vê-las, elas acordavam e gritavam apavoradas como se um monstro tivesse entrado ali. E ainda por cima, minha esposa ouviu de professoras das escolas: "É a ausência paterna que está causando problemas". Ainda espantada com o que ouviu da professora, certo dia ela me pediu: "Por favor, querido, estou pensando que elas aprendam judô. O que acha? As crianças fogem de medo de você, por favor, seja mais carinhoso com elas." "Está bem. Vou ensiná-las".

Dessa forma, as três começaram a aprender judô. A mais velha era a mais ágil, e aprendia rápido. A segunda não tinha tanta agilidade, mas levava tudo muito a sério, de modo que era a mais persistente. A caçula era muito instável; quando dava na veneta, treinava muito, mas não tinha persistência. Cada cabeça, uma sentença; as três tinham personalidades distintas, e vinham trazidas pela mãe ao *dojo*, onde, por uma hora e meia, treinavam duro, e então, passaram a ter resultados positivos em competições.

A mais velha, aos quatorze anos, tornou-se campeã brasileira, e participou do 1º Torneio Internacional de Fukuoka. Neste torneio lutou contra a campeã mundial, a francesa Rodrigues, e na terceira luta do torneio conseguiu sentir que havia lutado bem, tornando-se mais confiante. Depois disso, em torneios nacionais, não soube mais o que era perder. E no Mundial da Alemanha, ficou em segundo lugar; nos Good Will Games, também em segundo; nos Jogos Pan-Americanos, foi vice-campeã, influenciando muito suas irmãs mais novas. Entrou na Faculdade de

Educação Física da USP, e mesmo entre os estudos corridos, participou de inúmeros torneios.

Certo dia, apareceu em nossa casa um americano, que chegou dizendo:

– Eu me chamo Mike Swain. Pratico judô. Conheci sua filha há três anos, nos Jogos Pan-Americanos de Porto Rico, e desde então, temos nos relacionado por telefone. Já sei bastante sobre o senhor também. Por favor, conceda-me uma luta-treino.

– Está bem. Vamos ao dojo.

Lutamos por cerca de vinte minutos, os dois suando muito, e completamente impressionado pela força e habilidade do rapaz, acabei dando meu consentimento para que ele casasse com ela.

Eu fui apenas o terceiro lugar em duas competições, e ele era o único campeão americano dos 71 quilos, já havia participado de três Olimpíadas, tendo conquistado o bronze na Olimpíada de Seul. E, na sua quarta Olimpíada, em Barcelona, Mike foi representando os EUA, e minha filha, Chie, o Brasil, participando pela primeira vez como um casal.

Minha segunda filha chegou ao 1º dan, mas logo deixou o mundo das competições, dizendo que praticaria o judô apenas como passatempo, indo estudar Administração na USP. Mais tarde, frequentou uma escola de hotelaria, e em 1995, foi, como bolsista da Japan International Cooperation Agency – Agência de Cooperação Internacional do Japão (JICA), estagiar no Prince Hotel Makuhari de Tóquio[2]. Nesse ano, o 19º Mundial foi realizado no Hall de Convenções Makuhari da Província de Chiba. A caçula Yukie, seguindo os passos da irmã mais velha, tornou-se fanática por judô, e foi estudar Educação Física na USP. Nesse ano, tornou-se 1º dan, e brilhou como a campeã juvenil do Brasil. No ano seguinte, trancou a matrícula da faculdade, e quis ir como bolsista treinar judô no Japão. Com a ajuda de um amigo do meio do judô, entrou na empresa Komatsu, onde foi fazer parte da equipe de judô da empresa. No começo, parece que foi bastante difícil, mas a partir do segundo ano, começou a entender e a gostar mesmo de judô e, como

---

[2] Um dos mais tradicionais e famosos hotéis de Tóquio. (N.T.)

resultado, contribuiu grandemente para a conquista da equipe feminina empresarial de Judô da Komatsu do título por equipe, tendo sido eleita a melhor atleta da competição. No ano seguinte, também ajudou na conquista do segundo título seguido da empresa, e mais uma vez foi escolhida a melhor atleta.

Depois de voltar ao Brasil, venceu as seletivas aqui, e conseguiu o direito de participar do Mundial. Minha esposa, preocupada, disse:

– Querido, o que vamos fazer? Alguém precisa ir lá torcer por ela. Mike vai como técnico da equipe americana, Chie diz que vai acompanhá-lo levando a filha, e que irão ficar no hotel em que a Mie está. Querido, vá lá para torcer, sim? Você vai, não é?

– Não, você vai agora. Na vez anterior, em Barcelona, eu fui torcer por Mike e Chie, agora é a sua vez. Além do mais, eu não conseguiria ajudar a Chie com a criança.

Assim, foi decidido que minha esposa iria.

E, no Makuhari, seis parentes (menos eu, claro) se reuniram, e o jornal *Asahi* publicou o seguinte:

"As irmãs de Vânia Yukie Ishii, do Brasil, se reencontraram no Makuhari Prince Hotel. A mais velha, Chie, esposa do técnico de judô da equipe americana Mike Swain, a segunda, Mie, estagiária e bolsista da JICA no Makuhari Prince Hotel, e a terceira, Yukie, representante brasileira do judô do Brasil na categoria 66 quilos. A mãe, senhora Keiko, veio do Brasil para o evento. O pai, o senhor Chiaki, ficou tomando conta da casa, no Brasil." Colocaram uma foto junto ao texto, e foi publicado no jornal de distribuição nacional.

Esta foi a minha resposta em relação à minha imigração para o Brasil. Os amigos do Japão mandaram mensagens: "Parabéns, Ishii. Que ótimo! É a sua melhor performance!" Muito obrigado a todos.

"Estas são as minhas filhas, meu orgulho. Todas estão bem, e se esforçando bastante. No final do ano de 1996, veio o tão esperado herdeiro para a minha filha mais velha, e dei-lhe o nome de Masato. É um nome que eu gosto muito. É o Massato por quem esperei por

33 anos. As pessoas vão entregando seus bastões de pai para filho, de filho para neto.

Meu pai, no casamento da minha filha mais velha, disse:

"Ah, com isto, o judô da família Ishii se tornou internacional. Muito bem, Chiaki..."

Mais de trinta anos após ter migrado, sinto que finalmente devolvi algum favor a meu pai.

Seguindo-se aos casamentos das duas filhas mais velhas, a caçula Vânia Yukie também se casou em 2013, com um dos judocas com que treinou junto, o brasileiro Marcus Vinícius da Silva Oliveiro.

E, finalmente, imediatamente antes das Olimpíadas de 2020 terem sido marcadas para Tóquio, o jornal *Yomiuri* veio me entrevistar. A entrevista foi feita por Masakazu Hamasuna e publicada em 6 de dezembro de 2013. Desejo colocar o texto dessa entrevista como meus sentimentos de hoje.

A esperança de um judoca *nikkei* no Brasil com relação à Olimpíada de Tóquio

Da escolha do local das Olimpíadas de Verão e Paraolimpíadas, a ser declarada no dia 8 próximo, há um judoca *nikkei* que tem esperanças com relação à segunda Olimpíada a ser realizada em Tóquio. Após ter o sonho de participar da Olimpíada de 1964 desfeito, Chiaki Ishii (71 anos) mudou-se para o Brasil, naturalizou-se e participou da Olimpíada de 1972, em Munique, tendo conquistado a primeira medalha olímpica para o judô do Brasil. Considerado um dos pioneiros do judô no Brasil, já desde a juventude era chamado de "*Sensei*". O senhor Ishii é natural da cidade de Ashikaga, província de Tochigi. De uma família que desde o avô tinha *dojo* de judô, ele foi treinado duramente desde a infância pelo pai e pelo irmão mais velho. Em 1960 foi para Tóquio, e entrou na Universidade Waseda. Na época, pela primeira vez, na Olimpíada de Tóquio, ficou estabelecido que o judô seria um esporte olímpico, e todos os jovens judocas estavam vibrando de esperança com isso. "Todos estavam desejosos de participar, e havia um frenesi até acima do normal entre eles". O senhor Ishii também estava de olho em uma vaga na categoria de peso-médio, mas nas seletivas de 1963, perdeu para Isao Okano, que era chamado de o "Sanshiro da época Showa", e teve de engolir as lágrimas.

Com essa desilusão, foi em busca de novos ares, migrando para o Brasil. Não chegou a ver as Olimpíadas de Tóquio, e, em abril de 1964, logo após sua formatura na universidade, embarcou em direção à nova terra. Começou a estudar em uma escola agrícola do Estado de São Paulo, mas não conseguiu deixar seu amor pelo judô e, à medida que ia participando de torneios locais, sua força ia se tornando conhecida, sendo convidado pela Confederação Brasileira de Judô a se naturalizar, o que fez em 1969. Em 1972, em sua primeira participação em uma Olimpíada, conquistou uma medalha.

Após se retirar das competições com 35 anos, tem feito trabalho de orientação nos *dojos* da cidade de São Paulo. O atleta Aurélio Miguel, que conquistou a medalha de ouro em Seul, é um dos seus discípulos.

Recentemente tem orientado Rafael Silva, medalha de bronze na Olimpíada de Londres. "Há uns quatro ou cinco anos ele veio até mim, pedindo que lhe ensinasse judô. Como é ainda jovem, talvez ainda possa participar da Olimpíada de Tóquio", diz.

E ainda acrescentou: "Se puder ir a Tóquio para ver atletas brasileiros que ajudei a formar lutarem na Olimpíada, ficarei muito feliz".

Leia também:

Uruwashi – o espírito do judô – Vol 1
Rioiti Uchida e Rodrigo Motta

Esta é com certeza uma das obras mais completas já publicadas a respeito do judô no Brasil. Só este primeiro dos três volumes que comporão toda a obra traz mais de 1.200 imagens de técnicas variadas, das mais elementares às mais complexas, acompanhadas de descrições, passo a passo, de como devem ser aplicadas cada uma delas.

O leitor também encontrará nestas páginas a história do judô e se aprofundará, com rara clareza, nos valores e princípios que alicerçam essa arte marcial, já que a obra enfatiza a natureza educativa do judô, não apenas no sentido físico e técnico, mas também intelectual e moral. Ela serve para orientar didaticamente todos os públicos interessados em saber mais sobre o judô, principalmente professores e praticantes, mas também curiosos e profissionais da imprensa esportiva.

Leia também:

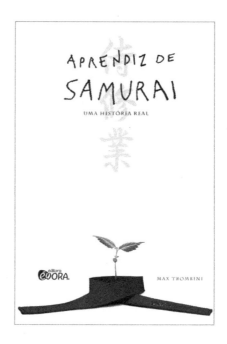

Aprendiz de samurai – uma história real
Max Trombini

Aprendiz de samurai narra a vida de um homem, Max, que desde cedo teve de conviver com a rejeição paterna, mas que encontrou no avô materno, Benedito, o pai que precisava e o exemplo a seguir.

Quando Benedito (que anestesiava sua dor pelo abandono do pai biológico) morreu, vítima de câncer, Max viu sua infância pobre e feliz se transformar em uma adolescência turbulenta.

A ausência do avô e o descaso do pai que até então não fizera falta se transformam no fantasma do jovem que se revolta contra tudo e todos e só se reencontra por meio do esforço da mãe e pelo judô, que dá ao menino rebelde um sonho: ser atleta olímpico. Através dele, Max ganha uma porção de pais sob o título de sensei e, com o tempo, amadurece e também ganha consciência de que a maior conquista não está nas medalhas, nas glórias esportivas, mas em ser o homem, em ser o pai que, se não fossem o avô e os mestres do judô, ele não saberia ser.

O Instituto Chiaki Ishii, sediado na avenida Pompéia, 1 466, oferece aulas de judô às segundas, quartas e sextas-feiras das 20h30 às 22 h.

Contando com a supervisão do autor desse livro, sensei 9° dan Chiaki Ishii, a comissão técnica responsável pelos treinos é composta por Rodrigo Motta (faixa vermelha e branca de 6° dan), Bahjet el Hayek (medalhista em duas edições de mundiais das polícias e duas edições de mundiais Masters) e Cristian Cezário (atual bicampeão mundial Masters).

Com o objetivo de promover a busca incessante pelo ippon (golpe perfeito), as portas do ICI estão abertas para todos os interessados em aprender o judô. Para mais informações, entre em contato com **bahjet11@yahoo.com.br** ou **cris_amanda_judo@hotmail.com**.

Contato com o autor

cishii@editoraevora.com.br

Este livro foi impresso em papel *pólen bold* 90g pela gráfica Assahi.